Scrittori

D0713302

Cristian Mannu

Maria di Ísili

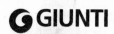

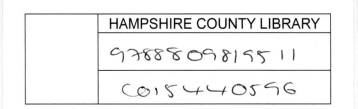
Maria di Ísili
di Cristian Mannu
«Scrittori Giunti»

www.giunti.it

© 2016 Giunti Editore S.p.A.
Via Bolognese 165 – 50139 Firenze – Italia
Piazza Virgilio 4 – 20123 Milano – Italia

Prima edizione: aprile 2016
Pubblicato in accordo con l'Autore c/o Agenzia Letteraria Kalama

A Maria,
tutte.

I personaggi e le storie da loro narrate in quest'opera si sono intrecciati nella testa dell'autore e sono quindi frutto della sua fantasia. La verità, se esiste una verità, è ben più complicata e sarebbe stato troppo difficile raccontarla.

In un vortice di polvere
gli altri vedevan siccità,
a me ricordava la gonna di Jenny
in un ballo di tanti anni fa.

Sentivo la mia terra vibrare di suoni,
era il mio cuore.

Fabrizio De André, *Il suonatore Jones*

Salvatorica Carboni

Si vedeva da come filava che non era una bambina come le altre. *Una aicci bravixedda deu non dd'apu mai bia*, e non solo lì in paese, a Ísili, *seu narendi*. Se non capisci quello che dico, fermami però, che ogni tanto mi esce qualche frase in dialetto, ma non ci posso fare niente, è più forte di me. Una così brava, dicevo, io non l'ho mai vista, da nessuna parte. Si vedeva che aveva una luce diversa negli occhi. Certo, non potevo immaginare come andava a finire. L'ho fatta nascere io, a Maria. Ho aiutato la mamma a tirarla fuori. Prima si nasceva in casa, mica come adesso che a Ísili c'è anche l'ospedale, ma si muore lo stesso di parto. A quei tempi c'ero io che andavo in giro per tutto il paese e Franca Atzori che faceva altro, ma tanto già lo sanno anche i muri che cosa faceva, non devo certo dirlo io. Io però quelle cose non le ho mai fatte.

Non avevano parenti loro, lì a Ísili. Michele, *su babbu*, era di Macomer, della famiglia Piga, quella che non c'è più, quella che durante l'incendio di quell'estate sono morti tutti tranne lui *ched'era* il figlio più piccolo e stava giocando al piano di sotto mentre gli altri dormivano, ma non la famiglia Piga dell'assessore che adesso è a Cagliari e l'hanno messo in galera perché si è *furato* i soldi per costruirsi la villetta a Costa Rei, *cussu est unu ladroni*, mica come Michele che era bravo bravo e se li guadagnava lavorando, i soldi. Lo dovevi vedere: usciva di casa con il suo sacchetto la mattina presto e tornava di notte. Faceva la guardia alla colonia penale, quella che c'è nella strada per andare a Villanova Tulo, quella dove alla televisione dicevano che avevano sepolto quel tedesco nazista e poi hanno detto che non era vero.

Lo dovevi vedere a Michele: dove lo mettevi stava. Si prendeva la sua bicicletta per andare a lavorare, e chi lo sentiva tutto il giorno. Rientrava che fuori era già buio e allora io me ne potevo tornare a casa mia per dormire. Quando c'era non si lamentava mai, e mai che lo vedevi tornare bevuto o con i cinque minuti. Da solo con tutte quelle femmine, non lo so proprio come ha fatto, *mischineddu*. Ed era anche uno studiato, Michele. Mica era uno che perdeva il giorno a ubriacarsi o a giocare a carte come si vede adesso in giro, che ci sono tutti quei ragazzini sempre con la musica alta nelle orecchie o a parlare male a qualcuno quando aspettano il pullman qui dietro in piazzetta, che se vai adesso li vedi col cellulare in mano a fare niente invece di andare a lavorare.

A Michele gli aveva imparato tutto la zia, la sorella della mamma, che se l'era preso in casa dopo che i genitori e il fratello erano morti bruciati, *sa giustizia*. Me l'ha raccontato un giorno *ched'era* di buon umore e aveva voglia di parlare, perché era venuto un pezzo grosso da Roma e gli aveva dato una promozione, e Michele aveva bevuto birra e non riusciva a tenere ferma la lingua e aveva gli occhi lucidi. Mi guardava e mi *naràra unu sciaccu mannu de cosas*, un sacco di cose mi diceva, e io ne ho capito meno della metà. Ho capito che a diciotto anni era andato in Sicilia a lavorare, con il suo amico giudice, *su fill'e'* Sandru Uggias, quello che si è impiccato, l'avevano scritto anche sul giornale, per fortuna non aveva figli, e dicevano pure che la moglie si era tolta il lutto dopo tre giorni e poi se n'era partita a Roma a fare la bella vita. *Puzzi puzzi!* A vent'anni gli avevano dato un lavoro al carcere di Ísili, a Michele, ed era tornato in Sardegna con *cussa piciocchedda* strana, Rosaria, che veniva da una *bidda* siciliana, ma me ne sono dimenticata il nome. Si chiamava Granillo di cognome, o Granata, non mi ricordo più neanche questo, ma a Ísili avevano iniziato a chiamarla *sa Damixedda Niedda,* la Damina Nera, che dopo che era nata Maria, l'ultima figlia, la seconda femmina, *mischinedda de issa*, aveva avuto un esaurimento di nervi e aveva iniziato a vestirsi solo con abiti scuri. La dovevi vedere: magra magra come una rondinella e pallida pallida *cummenti su latti*, non si truccava più e non usciva di casa se non la domenica mattina per andare a messa da sola. E non ti dico gli occhi: sembrava che c'aveva *su dimoniu aintru*. *Parìara sa morti in persona*. Neanche a me mi parlava più. In paese pensavamo che c'avesse *s'ogu malu* ed era venuta anche mia sorella da Cagliari per toglierglielo con l'olio e il sale, che Antonietta era una delle più brave a levare il malocchio, ma *nudda*, non è guarita. Erano gente riservata, ma riservata, guarda. Meno male che c'ero io ad aiutarli, sennò non dicevano niente a nessuno che avevano bisogno di una mano. Maria era la più *bellixedda*, non andava ancora alle elementari quando la mamma è uscita fuori di testa. *Mischinedda*, aveva cinque anni. Non stava mai ferma, *unu pibizziri*, saltella di qua saltella di là, proprio come una cavalletta, sempre a chiamare la madre, attaccata alla sua gonna, anche se la mamma non la vedeva più la figlia. Prima di esaurirsi se la coccolava sempre la sua bambolina e non riuscivi a prendergliela dalle mani che se la stava sempre baciando e guardando e le raccontava ogni giorno una storia diversa.

Già me lo ricordo il giorno *ched'è* nata. Ancora un po' se la voleva tirare fuori da sola, la testa della figlia. E piangevano tutt'e due, mamma e figlia, attaccate. Ma lo dovevo immaginare dagli occhi che andava a finire male. Io l'avevo detto che occhi così azzurri non si capiva da dove erano usciti, che il babbo ce li aveva neri più del camino sporco di fuliggine e la mamma non lo sapevi proprio di che colore ce li aveva: un giorno erano lucidi come le foglie dei lecci e un altro sembravano castagne che bruciano al fuoco e un altro ancora invece erano gialli come le pietre di Pranu Ollas. Io già l'avevo detto che doveva averci messo lo zampino un angelo o *su dimoniu*. Ma la mamma a dire che lei aveva i nonni biondi e con gli occhi azzurri, che nel suo paese c'erano stati i normanni e gli arabi e i greci e i romani e i francesi e gli spagnoli, e che per questo motivo non si sapeva mai come nascevano i figli, dalle loro parti, a volte bianchi, a volte con la erre moscia, a volte mulatti e con gli occhi verdi, a volte persino rossi o senza capelli.

Evelina era più grandicella quando la mamma è uscita fuori di testa. Si assomigliava di più al babbo, lei, anche di carattere. Mai che la vedevi dire una parola in più e non riuscivi a capirci nulla di quegli occhi che non avevano pupille. A lei non le piaceva usare il telaio come alla sorella, ma non le potevi toccare la Bibbia che le avevano regalato per la prima comunione, era tutta un leggi e rileggi che pensavamo dovesse farsi suora, *sa pipìa*, che le poche volte che parlava *parìara* San Giovanni apostolo con la gonna e i capelli a coda di cavallo. Quando le sono venute le sue cose sembrava che doveva venire giù il mondo e arrivare l'apocalisse.

Maria ha imparato presto anche a cucinare, da sola. Faceva tutto a occhio senza pesare, assaggiava soltanto e toglieva e aggiungeva e *murigava* con il cucchiaio e con le mani. Ma dovevi vedere come le uscivano buone le cose. Sembrava che gli dava l'anima ai *malloreddus* e ai *culurgiones*, e al sugo anche. Si può dire che a Maria l'ho allevata io. La mamma era sempre chiusa in camera sua, *croccàra in su lettu*, con la testa sul cuscino e gli occhi fissi alla finestra, che non sapevi mai a cosa stava pensando. A Maria gliel'ho imparato io a usare il telaio, il mio le ho dato, che loro non ce l'avevano. Ma l'ho capito subito che era brava.

Evelina non c'aveva la testa per queste cose, invece. A lei, quando volevi farla felice, le potevi mettere un rosario in mano e tranquilla che non sbagliavi. Guai a toccarglielo il suo rosario. Ma dovevi vederle come erano belline da piccole, quando giocavano insieme a fare le mammine o a *pincareddu* o a nascondersi e rincorrersi. Me le guardavo e sognavo che erano figlie mie. Anche a scuola le accompagnavo e me le andavo a riprendere. Io non ne ho avute di figlie. Ma ne volevo, certo che ne volevo. Però non volevo gli uomini, e non mi sono mai sposata. A me gli uomini mi facevano paura. Tutta colpa di babbo. Babbo ci trattava male a me e alle mie sorelle. Ci faceva fare cose brutte da dire, quando mamma non c'era. Ma non ne ho voglia di raccontarla *custa storia lèggia*, questa storiaccia, meglio che me la tengo per me. I bambini mi sono sempre piaciuti, però. Farli nascere mi piaceva. Ero mamma anche io. Me vedevano, prima di vedere la madre, i bambini di

Ísili, quando nascevano. Zia Borìca vedevano, i miei occhiali tondi e il mio naso grande. Me vedevano, Salvatorica Carboni, la mia faccia che gli sorrideva. E le mani calde calde che sentivano erano le mie, non quelle delle loro mamme, che senza di me non ce la facevano mica a metterli al mondo, i bambini. *Su santu chi dd'at fatta* a Maria. Se n'è scappata di notte. Senza dirmi niente *si nd'est fuìa*.

A me Antonio Lorrài non mi è mai piaciuto, *puzzidda*, dalla prima volta che l'ho visto. Un uomo viscido come quello? *Scetti babbu miu fiara prus malarioni.* Solo mio padre era più pervertito, guarda. Deve avere un figlio in ogni paese del Sarcidano, quello lì, e anche della Trexenta. Magari qualcuno di questi figli *burdi* l'ho pure fatto nascere io. Io già gliel'avevo detto a Evelina e a Maria di non dargli confidenza a quello là, che ci provava con tutte, *cussu dimoniu*. Ma mica le potevo tenere legate a casa io, se il babbo non c'era e quando c'era gli faceva fare tutto quello che volevano, alle figlie. Io però già glielo dicevo ogni giorno anche a lui: «Stia attento, che quel ramaio è volpe, e alle volpi piacciono le galline giovani». Ma lui era troppo buono, un pezzo di pane. Tutto gli permetteva alle figlie. E anche alla moglie. Già non me la contava giusta a me la moglie, se lo vuoi proprio sapere. Quando stava ancora bene, sto dicendo. Qualche volta invitavano a cena Pietro Uggias, il giudice, il compare di Michele, quello che poi si è appeso la fune al collo, quello che ti ho detto prima, quello che erano partiti insieme in Sicilia. Lo invitavano a cena quando lui doveva scendere a Cagliari. E allora Rosaria, *sa mulleri* di Michele, si *trassava* come se doveva venire a cena Vittorio Emanuele III o Benito Mussolini in persona. Il giudice era un bell'uomo, guarda. Giovane ma già brizzolato, c'aveva anche i baffi grigi come i capelli, che sembravano fatti d'argento, lucidi. Lo potevi scambiare per uno di quegli attori americani che si vedevano nelle locandine. Alto e ben messo, con due spalle così. Ma triste che non ti dico. C'aveva gli occhi che sembravano di ghiaccio. Azzurri azzurri che si assomigliavano un po' a quelli di Maria. Ma quelli del giudice erano più freddi e mogi mogi, erano all'ingiù, e anche più scuri di quelli di Maria, che invece erano belli grandi e quasi celesti, ed erano all'insù come quelli della mamma quando non era ancora esaurita. Ma come se lo squadrava la padrona di casa, il giudice, e come se lo mangiava con lo sguardo quando cenava da loro, dovevi vedere. E prima passava tutto il pomeriggio a prepararsi e mi faceva cambiare la tovaglia e mettere i fiori freschi nel vaso, e mi chiedeva di andare a comprarle il pane caldo e di cucinare i dolci più buoni: *is gueffus* con la carta velina bianca e gli amaretti con le mandorle sopra, che al giudice piacevano tanto e faceva anche qualche sorriso quando li mangiava. Si vedeva che non era un ospite normale. Quando venivano altri colleghi del marito a casa mica si comportava così.

Era gentile, certo, ma ero femmina pure io, e lo so cosa vuol dire guardare un uomo in quel modo. Anche se a me gli uomini facevano paura e non li ho mai guardati così, ma già lo so che se lo guardi in quel modo, un uomo, vuol dire che ti piace.

Anche Maria si guardava a quel modo il marito della sorella quando è entrato a casa. Io me n'ero accorta, ma cosa ci potevo fare? L'avevo capito che le piaceva. Anche prima, quando era un *bagamundu* senza moglie e senza casa. Me la vedevo uscire dal giardino apposta quando sentiva il carro che passava nella strada principale, rientrando da Nurallào. Di nascosto se lo guardava.

Me le ha rovinate a tutt'e due Antonio Lorrài, le figlie. Ma già l'ha fatta la fine che meritava quel fanfarone rovinafamiglie. *Su babbu* ha fatto quello che doveva fare molto prima: a colpi di pallettoni in testa l'ha preso. *Ta lastima.* Tanto si sa che l'ha ucciso don Giuà, il figlio, e poi si è sparato, anche se sul giornale hanno scritto che non era chiaro e che forse erano stati uccisi da *genti mala* dei paesi vicini per soldi o per onore e che forse il padre l'aveva difeso. *Ma cali genti mala,* ma quale difesa? *Malu fiara scetti issu,* soltanto lui, Antonio Lorrài, *malu e malarioni,* perfido e pervertito. E *su babbu* l'ha mandato dove doveva andare: all'inferno, a bruciare per tutte le cose brutte che ha fatto. Peccato solo che l'ha fatto troppo tardi, che se lo faceva prima magari Maria era ancora a Ísili con la sorella e non a morire di fame a Cagliari, come quel giorno che l'ho vista ed era magra e pallida e coi capelli già bianchi. Lui mica li ha visti gli occhi di Evelina quando ha partorito suo figlio morto, mica l'ha sentita urlare come se c'avesse l'anima che voleva squarciarle il corpo, *Gesummaria*, mica li ha visti i suoi occhi che volevano esplodere da quanto erano gonfi e rossi di sangue e di lacrime, mica lo ha visto quel bambino viola e nero che non respirava, con il collo tutto attorcigliato dal cordone della mamma, *Gesù Cristu miu de su core*. Cosa ha visto lui? *Itta at biu*? *Nudda*. Niente ha visto. Un uomo è, uno così? *Ta brigungia*. Che vergogna. Un verme è. Anche a Maria ha lasciato sola. Prima se l'è portata via e le ha fatto fare figli quando faceva comodo a lui. E poi si è *sbagassato* tutto e l'ha abbandonata. Ma Mariedda mia era innamorata. Era ancora una bambina quando *cussu malarittu* l'ha messa sul carro e le ha promesso chissà cosa. Era innamorata, Mariedda mia. Cosa poteva capire? Stava sempre sognando lei, principi, principesse. Cosa le sarà sembrato quell'uomo che se la portava via? Un principe le sarà sembrato, come quelli che stava sempre disegnando. Non lo sapeva che era il demonio quello, *su dimoniu* che se la stava portando via per sempre.

Il telaio è rimasto nella loro casa di Ísili. A Evelina l'ho aiutata fino a quando ho potuto, ma lei preferiva stare da sola, a dire il rosario o andare a pregare in chiesa. Poi mia sorella è stata male e me ne sono dovuta tornare a Cagliari per starle vicina. Abitavamo in Marina, sopra il negozio di bottoni che c'era in via Baylle, che chissà se c'è ancora quel negozio, e la casa, chissà se c'è ancora quella casa con il balconcino piccolo in ferro battuto e le stanze lunghe e buie buie. Mia sorella conosceva la proprietaria del negozio, *ched'era* anche quella che le affittava la casa, e ci fermavamo a parlare con lei tutti i giorni, a *ciacciarrai*. Quel giorno Maria è entrata a chiedere se c'erano calze da rimagliare per lei. E quando si è girata per prendere le buste ci siamo riconosciute. *Cessu cessu!* Era meglio che non la vedevo, guarda. Solo dal colore degli occhi ho capito *ched'era* lei. Ma era *tottu succiara*, fine fine e gialla: *unu cadaveri*. È morta poco dopo. Era ancora giovane Mariedda quando se l'è portata via l'epatite che le avevano contagiato chissà come. Faceva la *zeracca* pulendo le case e le scale, e rimagliando calze. Mariedda mia, *ched'era* una principessa, a *zeraccare* l'aveva finita. I figli non lo so che fine hanno fatto. Il marito era un tipo strano, da quello che mi hanno detto, uno *ched'era* stato in galera, *un imbriagoni, gentixedda*. I figli che aveva avuto con Antonio Lorrài non li ha voluti più vedere da un giorno all'altro, e se ne sono andati tutti in continente, così dicono. Io non li ho conosciuti. Neanche a lui ho conosciuto. A Evelina non l'ho più vista. Al funerale della sorella non c'era. Mariedda mia adesso è al cimitero di San Michele, e tra un po' ci potrai venire a trovare anche me, vecchia e rimbambita come sono.

Maria di Ísili

Dalle mie parti c'è sempre stato vento. Vento possente e intrigante. Vento che fruga e che rende impazienti. Vento che sembra salire da un lontanissimo mare a levigare le pietre e spezzare famiglie e rami di alberi forti. Ma se la tua faccia non ha mai preso schiaffi sull'altopiano di Nurri, non puoi capirmi. E non puoi capire come si sente l'avena selvatica di Mandas a maggio, quando ondeggia alta e verde e irrequieta come oggi.

Quanti figli avrai?

Io ne avevo sempre cinque attaccati alla schiena. Ma uno è morto. E ho smesso di credere agli angeli quando è volato via a otto mesi. Il vento era già dentro e mi è rimasto ancora e sempre: a seminare tempeste e a trascinarmi via. Mentre ondeggiavo altrove e senza mai spezzarmi.

«Quanti figli avrai tu, Maria?» mi chiede ogni volta Evelina, la mia sorella più grande. «Quanti angioletti

d'avena ti restano attaccati alla schiena? A me nessuno. Ogni volta che lanci, solo uno si attacca. Ma poi perde la presa e si stacca.»

Io ne avevo sempre cinque attaccati alla schiena, invece. Ma uno è morto. E ho smesso di credere agli angeli. E lacrime fredde mi sono scese sul viso. Ma ho sempre pianto, io, sia prima che dopo. A Ísili quando mia madre mi ha messo al mondo, seconda femmina ma con gli occhi azzurri, che zia Borìca come mi ha guardata in faccia che ero ancora calda ha pensato che una creatura celeste o il demonio in persona fosse entrato a casa nostra, perché occhi color del mare da noi non si erano mai visti, e chi ha quegli occhi muore lontano da Ísili, e di tormenti. E a Terrubia ho pianto, dove sono scappata, incinta e innamorata, a sedici anni. E nelle case dei ricchi a Cagliari, sudata a camminare sino a via Cagna e a spezzarmi la schiena e le anche per far brillare i mobili degli altri, con le mani che diventavano callose a stirare camicie bianche di avvocati impazienti. E sul mio letto appena rifatto ho sempre pianto, al quarto piano senza ascensore delle case popolari verdi dove sono morta di sangue malato.

Madre bella, madre che vieni da un'isola triangolare e imperfetta come questa dove ti sei rifugiata. Madre che amavi un uomo sposato arrivato dal Màrghine e che è morto suicida. Madre che guardi distratta le cose

passare e non parli, e ripensi al tuo giudice Pietro, che
hai cercato sin qui e nel suo amico fidato. Padre senza
sorriso, padre ombroso e lontano che ogni santa matti-
na cammini o pedali da casa alla colonia penale e non
torni per pranzo. Padre che, altrettanto distratto, non
vedi le tue figlie che crescono e me che già brucio come
un fiore nel fuoco e tua moglie che spegne e assopisce
di notte le sue fantasie.

Avevo sei anni quando zia Borìca mi ha fatto vedere
il suo telaio e mi ha insegnato a passarci sopra le
mani e i piedi. Mi ha detto che era facile: dovevo solo
guardare le immagini, poi chiudere gli occhi, prendere le misure nella mia testa e iniziare a muovere
le dita e schiacciare i pedali. Noi non ne avevamo
uno. La mia famiglia non era di Ísili e mia mamma
non sapeva nemmeno cucire, e anche il pane eravamo tra i pochi a comprarlo, in paese. E zia Borìca
non era davvero mia zia, ma ero una figlia per lei e
mi insegnava quello che mamma non sapeva e mi
parlava con le parole che mamma non aveva più. Il
sardo di Cagliari mi insegnava, e anche l'arbaresca,
s'arromaniska, la lingua segreta dei ramai, perché sua
madre era di Stampace e il padre era stato un ramaio,
ma non di quelli che andavano in giro: lui aveva una
bottega qui a Ísili e passava tutto il giorno a battere il
rame col martello al buio per trasformarlo in pentole
e renderlo più bello. Mio padre invece lavorava alla
colonia penale e veniva da Macomer. Non conosceva

l'arbaresca e anche il sardo che parlava era diverso da quello di zia Borìca. Mamma parlava poco, e in sardo mai: era arrivata dalla Sicilia per inseguire il suo amore, un certo Pietro Uggias che faceva il giudice e che era stato il compare di babbo. Quando zia Borìca è venuta a vivere da noi, ha voluto che il telaio lo tenessi io perché diceva che lo sapevo usare meglio di tutte le donne che aveva mai visto nella Sardegna intera, anche di quelle di Ísili che lo usavano al contrario e nessuno ha mai saputo il perché. Diceva che nelle mie mani diventava un pianoforte e che i miei arazzi e i miei tappeti sembrava che parlassero: non ripetevano le formule e i disegni consueti ma erano animali veri che odoravano di rosmarino e piante profumate e castelli fatti di pietra viva e uomini e donne che ridevano e piangevano anche. A scrivere le lettere invece ho imparato da mia madre, leggendo quelle che non ha mai mandato e quelle bagnate che ha ricevuto e che teneva nel buio dell'armadio dentro le fodere delle sue gonne nere, quelle di quando era ragazza e già conosceva il verso dell'aquila rossa con il dorso bianco che fa il nido a Is Barrocus e che ogni tanto urlava i suoi canti d'amore anche nel paese da dove era venuta, ma che lì era ancora dolce e qui aspra perché la musica era sempre la stessa ma senza più l'uomo che aveva amato e tanto.

Batti piede, batti forte sopra questo pedale di legno, batti senza riposo e componi la mia melodia. Primo

tempo per te, principe che arriverai sopra un caval-
lo nero e mi porterai lontano. Muoviti filo rosato,
muoviti e danza e crea una trama mai usata, segui
le mani che ora si muovono lente, segui le vie tra la
lana e componi la mia melodia. Secondo tempo per
te, mamma, e per l'amore che ci consuma dentro.
Scendi e risali filo di rame, sali e riscendi e accarezza
questa morbida lana. È per te il terzo tempo, Borìca,
e il quarto per te, padre mio, e per le ruote della tua
bicicletta che girano. Senza sosta muoviti e danza,
fine filo rosato, filo di rame più fino degli aghi di pino
che cadono a terra in un giorno di vento e più forte
di queste mie mani e delle sue. Danza e muoviti e
intreccia i destini e scendi e risali e sali e riscendi e
componi la mia melodia.

Non avevo mai baciato nessuno fino ad allora. Solo una volta avevo desiderato farlo, quando l'avevo
visto schioccare la frusta all'ingresso del paese un
sabato mattina, con i suoi ricci neri e lucidi al vento
e la sua forza, e i suoi occhi pieni di paura e di vuoto
che avrei voluto riempire. Ma quella notte di festa lui
non baciò me, anche se per tutta la sera io lo cercai
con lo sguardo senza essere vista. Baciò mia sorella
Evelina dopo averla condotta giù ai campi. E quando
lei tornò a casa aveva quella stessa paura negli occhi,
e un vuoto ancora più difficile da colmare. Provai
a scacciarne il ricordo con i miei rami d'erica dura, spazzando i granelli invisibili di polvere ardente

25

fuori dalla mia soglia e scrivendo di notte e tessendo ricami di lacrime su visi stanchi di donne rimaste vedove e scalze, e di uomini morti e mai risorti in battaglie inutili e perse. Ma quando lo rividi in chiesa, i suoi occhi incrociarono i miei e suggellarono un patto sacro e blasfemo, e ci condussero oltre quel matrimonio che non sapeva di festa, ma di rimedio sbagliato e tardivo.

Fui io a portarlo alle vigne. Fu lui a insegnarmi l'amore. Fummo in due a rubarci il destino.

Mezzanotte del sesto giorno di settembre. Sogno e annego dentro queste acque che hanno odore di tempesta e mi circondano, provo invano a muovere le braccia per restare a galla e le labbra per urlare ma nessuno mi sente e respiro a fatica e muoio soffocata e stretta dalle onde scure di questo mare che accarezza due rive e mi trascina a fondo.

Scrivo su un foglio con la mia mano sinistra e restano sempre l'alone e la scia, e quando leggo vedo i numeri sempre al contrario, e il filo di questo rame è amaro come sangue, e la musica di questo telaio pesante come questo legno e scura come la lana che lo attraversa.

Sesto mezzogiorno di settembre. Il viola degli acini d'uva e il profumo delle foglie ampie e ricurve, le mie vesti e le sue sulla terra che, umida, accoglie il mio

*corpo e il suo, e ci innamora e ci inebria e ci fa raggi
di un sole che, immenso, ci illumina i visi e i corpi che
nudi rimangono ancora.*

*Mezzanotte di quel giorno di inizio dicembre. Mi assa-
le un gusto cattivo alla bocca e mi accorgo di avere la
testa che gira e il ventre che inizia a gonfiarsi e capisco
di avere una vita che dentro mi cresce.*

Il giorno dopo ho camminato al gelo e sulle rotaie
sino fuori dal paese desiderando che mi venisse incontro un macchinista distratto a riportarmi polvere. Poi sono tornata indietro sino al ponte e ho pla-
cato le vertigini privandole della paura e bramando
il volo. Avrei potuto darmi la morte a sedici anni,
avrei potuto trasformarmi in acqua calda e diventare
fonte nuova e quarta figlia di Pepi Cocòi, avrei potuto chiedere a Franca Atzori di infilarmi nelle viscere
il suo ferro da calza a strapparci la vita e seppellirci
insieme, io e il mio segreto, dentro le case delle fate o
nelle tane delle volpi, o partorire a Is Paras un figlio
guerriero. Invece ho scelto di vivere ancora ed è nata
mia figlia, anche se con dolore.

*Perdona il mio destino cattivo, Evelina. Perdona i miei
occhi. È acre l'odore di macchia e sudore. Dolce di
cenere e alloro la mano che lava le vesti giù al fiume.
Solletica i piedi la vite e i miei passi di danza sull'uva
per renderla vino. Perdonami, madre, se lascio il paese*

a quest'ora del giorno, se scappo non vista e abban-
dono il mio letto e cammino lontano da te. Lontano
da Serri e dal vento di Nurri. Perdona i miei occhi,
sorella. Antonio è con me e non tornerà. Senza peccato
è nessuno, madre. Né io chiamata Maria e concepita
nel cieco silenzio di un amplesso veloce e non senza
peccato. Senza peccato è nessuno, padre. Né io tua fi-
glia, di nome Maria, che partorirò con dolore a un'età
non ancora matura e il cui frutto del seno sarà seme
dannato e mortale.

Siamo scappati in una notte scura, il settimo giorno
dopo San Silvestro. Ísili, Mandas, Suelli, Senorbì e
poi ancora giù sino a Cagliari. Un suo amico pe-
scatore ci ha ospitato nella sua baracca la mattina
presto, mentre le dita sottili dell'alba iniziavano lente a colorare di rosa lo stagno di Santa Gilla. Era
la prima volta che vedevo il mare e i raggi del sole
sbatterci sopra e risalire ancora più numerosi dalle
onde increspate di acqua e di luce. Era la prima volta
che vedevo pescare a mani nude, dal fondo fangoso,
le arselle. E ho ascoltato in silenzio, quel giorno, le
voci di donne più forti di me: storie di figlie morte
dentro lo stagno per cercare collane di perle, storie
di giorni passati anche senza mangiare durante la
guerra, e di mariti ubriachi e di colpi di cinghie profondi e caldi ancora dietro la schiena. Dopo pranzo
ci siamo rimessi subito in viaggio e di sera siamo
arrivati a Terrubia.

***

Dolce Terrubia e dolci i ricordi degli anni vissuti da soli ma uniti vicino a Narcào. Dolci le parole di conforto di chi mi ha fatto da madre pur non essendolo e di me che lo sono diventata senza essere pronta. Dolce l'odore del pane che ho imparato a sfornare al mattino e del latte e del miele. Intenso ma dolce anche il dolore del parto che ancora mi opprime e mi stordisce.

Il sudore che mi cola dal viso e attraversa persino le ciglia, le fitte profonde fin dentro alle viscere e il respiro che accorcia i suoi passi e mi stringe in una morsa che temo mortale. Ieri sera ho sentito le sue piccole mani muoversi dentro di me e ho pensato al futuro, ho pensato a mia madre e a mio padre e ho pensato ai miei figli e ai loro figli e ai figli dei loro figli. Ieri sera non avevo paura, l'aria usciva dalle mie narici ed entrava fin dentro ai polmoni. Adesso il fiato si è frantumato e mi manca il respiro, tremo e ho paura di morire e piango, e sento voci confuse e vedo visi che non riconosco e una donna che non è mia madre che mi accarezza il viso e me lo asciuga con un panno morbido e fresco. Poi a un tratto riesco a urlare e vedo la sua testa piccola e senza capelli e sento il mio respiro che finalmente viene fuori intero di nuovo e la sua pelle non liscia sulla mia sudata e il suo pianto lieve e le mie lacrime prive di sale e leggere come le sue mani, minuscole e perfette, e le sue dita uguali alle mie.

***

Antonio l'ho perso a Cagliari. L'ho perso dentro quella città grande e bella, e bianca, vista da fuori. L'ho perso in quei vicoli stretti e angusti, e bui anche di giorno, se percorsi a piedi e da sola. Lavorava sempre di più, guadagnava sempre di più e spendeva e giocava alle carte. E beveva. Gli anni felici di Terrubia erano solo sbiadite memorie, ormai. La nascita dei figli, uno dietro l'altro, l'aveva allontanato da me. Io cercavo di aiutarlo in negozio, quando potevo, ma con tre bambini piccoli non era facile. Sentivo che mi stava sfuggendo. Lo vedevo distante, preoccupato, distratto. Aveva iniziato a perdere i capelli, a ingrassare. La bella città, la grande città, a poco a poco, lo stava divorando, lo risucchiava, impassibile e calma, dentro i cunicoli scuri delle sue cavità più remote. E io mi sentivo impotente. Non riuscivo a fare niente per impedirlo. Restava anche giorni lontano da casa, nell'ultimo periodo, notti intere perso nelle sue fantasie e sprofondato di nuovo in quel vuoto che non ero riuscita a colmare. Con le sue mani di carta e le sue carte segnate e le sue macchine sempre più veloci e scure, e i bicchieri pieni di whisky e la bocca bruciata dal fumo. Senza più riuscire a volare. Senza più riuscire a inventare parole. Finché una notte è rimasto per sempre senza ali e non è più tornato indietro ed è volato giù, circondato da un'acqua fredda e non calda come quella di una madre, ma ghiacciata e pesante, come lacrime che percorrono il viso al contrario e si depositano dure dentro gli occhi per non farli richiudere.

Notte di Sant'Antonio abate dentro le mura. È fredda la nostra casa di Castello, e vuota, in questa notte stellata di gennaio, la stanza umida e alta. Non c'è camino o falò a scaldare, né canti o bicchieri e visi di gente amica. Senza fiori di sposa e senza velo, solo fama di puttana, ma altrove, e tre figli affamati da crescere in questa città che mi sembra straniera.

Mattina di Santa Margherita da Cortona, giorno qualunque. Profumo di sugo e bucato e di lavoro ingrato in via Canelles. Ho contato trentasei soli di porpora scendere sotto le vecchie mura, trentasei tramonti senza Antonio, scappato, disperso e non ancora trovato. E sono sei notti, con questa, che è morto Ninnino, a otto mesi. A Orròli hanno trovato il corpo di un uomo dentro il lago Mulargia, oggi. Dicono che sia stato ucciso da due balordi di Sant'Andrea Frius per una questione di gioco e di debiti. Dicono che pianga a causa sua un'adolescente di Nurri, di nome Maria, in attesa di un figlio, e che a ucciderlo sia stato il fratello di lei. Dicono anche che il padre dell'uomo, a cent'anni, abbia preso un fucile e abbia esploso due colpi, e che al secondo la sua testa, leggera come una piuma di tordo sparato e ammazzato, sia finita nel fondo di quell'acqua verdastra insieme a quella del figlio. Non dicono che a piangerlo sono anch'io, Maria di Ísili, che non lo aspetterò più in piedi la notte qui in via Canelles a Cagliari. Non dicono che sono tre mesi che non ho i soldi per pagare l'affitto e che domani dovrò trovarmi un altro lavoro e una casa e mandare i miei figli in collegio, e che adesso sono qui in piedi, di notte, davanti alla porta aperta, ad arrotolare minuscole palline di carta tra indice e pollice, mentre cerco la mia perfezione e la mia redenzione che mai arriverà.

Credo nella tua volontà e nella mia mancanza. Credo che non avrò la forza di sopportare questi pesi che mi zavorrano il cuore. E zoppico. E piango. Credo ai fiori arancioni di maggio che crescono e muoiono forti tra spine durissime su piante ai confini. Credo di avere vissuto, e che morirò, di tormenti e di un dolore profondo, Signore.

Quella notte ho capito come si sente una quercia privata della sua corteccia, quando a tagliarla sono mani inesperte. Ti vola via l'anima. E non torna più indietro. E se la notte si alza il maestrale, il tuo corpo è solo un brivido di freddo e di buio. E tremi. E piangi. Per tutto il resto della vita ho vissuto senza corteccia, aggrappandomi ai muri e barcollando. Corteccia malata, la mia, e traballante. Occhi azzurri e piangenti. Occhi di luna senza cielo.

***

Sergio l'ho conosciuto all'Ausonia. Era rimasto orfano di madre poco prima che arrivassi lì, il padre invece l'aveva perso una decina di anni prima, morto sotto i bombardamenti, in un giorno di fine febbraio, mentre aspettava che venissero aperte le porte del rifugio della chiesa di Santa Restituta. Anche lui, come me, era stato in qualche modo abbandonato e aveva dovuto interrompere gli studi e ingegnarsi per sopravvivere. Portava occhiali scuri e spessi e un libro sempre diverso tra le mani che avevano unghie pulite e dita lisce di chi ancora non ha trovato lavoro o di chi è nato ricco e senza bisogno di cercarlo. Lo vedevo la mattina alla fermata del tram e, qualche volta, alla mensa dei poveri. I libri glieli prestava un amico di padre Carlo, che a Sergio, quand'era piccolo, gli aveva regalato un libricino nero con il dorso delle pagine rosso e una dedica all'interno, l'unica cosa che aveva letto di quelle pagine sottili, dove c'era scritto che davanti a Dio siamo tutti uguali, che gli ultimi alla fine diventano i primi e che è degli umili il regno dei cieli. Ma quando la notte tornava dentro quella stanza minuscola e umida più della spiaggia ed era solo e sotto lenzuola ingrigite e bucate, Sergio sentiva un'inquietudine dentro come di messa che non finisce con amen ma con uno starnuto o un rutto blasfemo. E la mattina, quando al risveglio guardava la Sella del Diavolo, lì di fronte, pensava che il cavallo scappato oltre il mare fosse lui, e che la sella il diavolo l'avesse lasciata vicino al Poetto per ricordargli che tanto non poteva andare troppo lontano e che prima o poi l'avrebbe ripreso e portato di nuovo a morire sopra quel golfo di angeli ribelli e morti anche loro dopo essere stati sconfitti insieme a Lucifero e confinati in quel pezzo di terra assetato e abitato solo da poveri diavoli.

Non era sposato, e io nemmeno, anche se avevo tre figli in collegio e uno morto. Una domenica di gennaio capii che avrei passato il resto della mia vita con lui. Fu il giorno in cui ripresi tua madre dal collegio di Genoni per tenerla un po' con me. Dopo pranzo lei uscì senza avvisarmi per andare sulla spiaggia di fronte, in mezzo ai casotti deserti. Fu lui a ritrovarla seduta sulla sabbia bianca mentre aspettava che la neve scendesse lenta e si sciogliesse sopra il mare calmo e salato. La prese per mano dopo averle sussurrato qualcosa all'orecchio e la riportò da me quando la danza tra il mare e la neve finì lasciando solo una scia sottile di polvere, come di farfalle bianche che sbattono le ali in un giorno di sole e senza maestrale.

C'è un nome scritto in corsivo nella parte interna di questo anello d'oro che porto al dito oggi, e non è il tuo, Antonio. C'è un uomo che mi promette il suo amore e non sei tu. Ci sono i tuoi figli ad ascoltare le nostre promesse, ci sono persone che non ho mai visto e c'è ancora il cielo sopra le nostre teste e c'è il sole anche se sulla pelle non lo sento caldo come quel giorno di settembre e provo a trattenere l'aria dentro la bocca e chiudo gli occhi e la butto fuori e li riapro e vedo il tuo viso e sfioro con l'indice e col pollice questo anello che mi avvolge l'anulare, ma non è tuo il nome che c'è scritto dentro, Antonio, e non sei tu l'uomo che mi promette il suo amore sotto questo cielo e questo sole tiepido che mi trapassa il viso.

Quando i ricchi si sono spartiti il Poetto, noi dell'Ausonia siamo stati mandati a San Michele: una colonia di rondini nere che emigrava senza ali, e al contrario, dal sud al nord della città. All'inizio non parlavo con nessuno, non conoscevo nessuno, poi è arrivata Teresina al piano di sotto, e prendevamo il tè insieme la sera e ci raccontavamo i sogni e preparavamo i dolci per le feste come madre e figlia, come sorelle. Dopo qualche anno, Sergio mi ha sposato e ha dato il suo cognome ai miei figli e un'altra figlia a me. Aveva idee di rivoluzione, a quei tempi. Io ormai mi ero rassegnata alla miseria, avevo dimenticato Ísili e i miei vestitini a fiori la domenica, le mie mani sulla lana e i fili di rame e i miei piedi svelti sopra i pedali di legno. Mi era diventata cosa usuale la povertà della gente, e la mia. D'estate le famiglie più ricche si rinchiudevano al Lido e le altre sparse nei casotti colorati lungo il resto del Poetto, nella spiaggia dei centomila. Centomila tranne noi, povere rondini nere e senza ali. Noi andavamo a Sa

Scaffa, noi che non avevamo più neanche i soldi per il tram. Ma a me in fondo il mare non piaceva. Mi piaceva stare a guardarlo ma avevo paura di fare il bagno e non sapevo nuotare. Sergio preferiva pescare e stava ore a fissare la linea incerta dell'orizzonte cercando un movimento inatteso o una promessa non mantenuta, o che arrivasse all'improvviso qualcuno a portarci tutti via da lì, magari su una barca piccola e azzurra e senza remi e con una vela bianca, e che il maestrale le soffiasse forte dentro e la trascinasse in una terra nuova, uguale a quella ma libera davvero. E mentre aspettava che la lenza si muovesse mi parlava di luoghi mai visti e soltanto immaginati, di poveri che diventano ricchi, di popoli felici, di paesi con biblioteche sterminate e di isole dove tutti erano diversi ma uguali e parlavano lingue antichissime e mischiavano suoni per farsi capire. Io chiudevo gli occhi e lo ascoltavo e rivedevo Ísili: sognavo mia madre e zia Borìca, le nostre scampagnate verso Nurallào e il rumore dei passi di mio padre che ogni giorno tornava dalla colonia penale, il riflesso del rame sulle pareti bianche della cucina e l'odore del rosmarino, i capelli morbidi di Evelina mentre le aggiustavo le trecce o la coda e i miei occhi azzurri dentro il fiume e mia mamma di nuovo e zia Borìca e le sue mani gentili sulle mie guance bagnate.

***

Poi l'hanno preso le tenebre. E non è più riemerso. Un giorno non è tornato a casa a dormire. L'indomani sono venuti a dirmi che l'avevano portato a Buoncammino: sei mesi per detenzione di eroina. Ma la droga Sergio non sapeva nemmeno come fosse fatta. L'hanno incastrato perché era anarchico e aveva iniziato a incontrarsi la sera con i suoi amici e a parlare troppo anche con chi non doveva.

«Certe cose non si spiegano. È sempre stato così qui da noi. Non chieda a chi vive a Milis perché coltiva e vende arance. In Sardegna muori come nasci, e lei è nato per morire di fame e cirrosi e cancro ai polmoni, sior Sergio.»

Avrei voluto dirgli, a Sergio, che babbo aveva conosciuto un ragazzo che faceva il barbiere a Milis: lui le arance le odiava ma sapeva usare le forbici e il rasoio come nessuno, da lui venivano da Bauladu ma anche da Orgosolo a farsi fare i capelli dopo che quelle forbici affilate le aveva usate una sera per uccidere il compare che l'aveva tradito con sua moglie, e alla fine era uscito da Badu 'e Carros per buona condotta e perché aveva le mani d'oro. E avrei voluto dirgli che le carceri le conoscevo anch'io, anche se non ci avevo mai dormito dentro, e che è vero che sono dei posti bruttissimi, ma la prigione peggiore è quando non ci sono le sbarre e resti fermo e non ti muovi anche se hai le mani e le gambe libere. E avrei voluto dirgli che le idee buone non devono restare senza respiro nemmeno se gli tolgono l'aria. Ma quando è tornato non era più lui e non gli si poteva più parlare. Ha smesso di leggere, di rivolgermi la parola e di ascoltarmi e ha iniziato a bere e a fumare. Non lo chiamavano più neanche al porto per scaricare la merce dai mercantili. Non ne volevano gente che aveva idee strane e magari poi contagiava gli altri, si metteva grilli per la testa e incrociava le braccia a scioperare. Per fortuna un amico che lavorava in una pompa di benzina vicino a Pirri l'ha aiutato e l'ha fatto assumere là. Qualche volta la domenica usciva con la canna da pesca ma non so se andasse davvero a pescare. Tutte le sere invece andava al bar, insieme a Tuccio, il marito di Teresina, e tornava tardi, fradicio e ciondolando sulle scale. Allora sono morta anch'io e ho smesso di credere che la mia vita potesse cambiare.

«*Fai silenzio, Teresina, che c'è Sergio in camera che fuma e anche oggi ha bevuto. L'ho capito da come ha salito le scale. È sbronza mala quella di oggi. Ha sbattuto i pugni sulla porta e non sta cantando allegro. Elias Portolu non lo legge più, ormai. Beve, fuma e fuma e beve, poi torna a casa a imprecare senza soldi, Teresina mia. Ripete frasi brutte, dice che mi odia, che sono solo una puttana e ho figli non suoi.*»

***

Che male ho fatto a nascere, io? Seconda femmina e con gli occhi azzurri in un giorno di vento nella mia casa di Ísili, dove non potrò più tornare, costretta a firmare su un foglio e a rinunciare per sempre alla mia eredità. Che male ho fatto a nascere, madre?

I miei genitori sono morti uno dietro l'altro a pochi mesi di distanza. Mamma si è uccisa lanciandosi nel vuoto il giorno stesso in cui me ne sono andata via, babbo di infarto. Ma io non sono potuta andare ai loro funerali perché mio padre non mi ha mai perdonata e non ha voluto vedermi neanche in punto di morte, quando l'avvocato è venuto a farmi firmare un documento in cui promettevo di non mettere più piede a Ísili, nemmeno al cimitero. Evelina invece vive ancora lì nella nostra vecchia casa, o almeno spero. Il figlio che avrebbe dovuto avere da Antonio Lorrài è nato morto un mese prima del parto, e lei è rimasta sola da allora, senza più madre né padre, senza sposo e senza il figlio mai nato. Me le ha dette zia Borìca queste cose, un giorno che l'ho incontrata a Cagliari e non credevo ai miei occhi e piangevo perché l'avevo potuta toccare di nuovo, e vedere e ascoltare. Le ho scritto lettere, a Evelina, molte e lunghe, quando ancora potevo, per provare a spiegarle, per chiederle perdono. Continuo a recitarle anche adesso, a memoria, tutte quelle lettere bagnate di pianto e rimpianto, ma non ho mai avuto risposta.

Rosaria Granata

Sono morta di dolore. Ed è un atto dovuto al Signore. Sono morta per questa figlia che mi ha abbandonata e per quella che ha deciso di restare. E per Pietro sono morta, ma quello molto tempo prima. Sono morta due volte. E adesso non sento più il verso di quell'aquila amica che qui aveva il nido. Non vedo più le sue piume rosse e il bianco del dorso. Non mi dicono più niente i suoi canti d'amore. È così, dunque, la morte? Ti priva davvero dei sensi ma non del ricordo?

Sono morta di dolore in un giorno d'inverno, come neve che cade e senza vento. Sono morta volando a Is Barrocus. E adesso non sento più niente. Ma ero piccola un tempo. Ero piccola e guardavo mio padre. Gli guardavo le mani, percorrevo con il nero degli occhi il solco ancora più nero dei suoi palmi callosi. E mi piaceva attraversargli le rughe del viso, quelle sopra la barba, sotto i suoi zigomi forti. Ero piccola prima che questa mia figlia mi lasciasse. Ma il dolore adesso è solo un ricordo.

Dove ho sbagliato, Signore? Ho peccato, ho troppo peccato. Sono stata una figlia malfatta, una moglie imperfetta, una madre distante. Sono stata un'amante. Ma non ho saputo strapparlo alla morte. Ho lasciato alle spalle la mia terra natia e i miei cari per seguirlo dall'altra parte del mare, per seguire un uomo che non ho potuto sposare. L'ho inseguito nascosta, attraversando pianure e montagne e strade salate e agitate dentro una nave. Lui che sposato era già. L'ho seguito sposando il suo amico, per continuare non solo a sognarlo, per vederlo, per continuare ad amarlo.

Mia figlia Maria non ha fatto altrettanto. Lei aveva un vento più forte del mio a spingerla dentro. Lei non ha saputo calmarlo, quel vento, non ha saputo come farlo quietare. Lei aveva gli occhi più azzurri del padre. E suo padre era Pietro, giudice del Màrghine, Uggias, di Macomer. Ma nessuno lo sa. Neanche lei. Nessuno lo sa che suo padre era Pietro, il mio Pietro. Lui si è ucciso una sera. E che Dio lo perdoni. Ha trovato una corda e ha deciso di farne ghirlanda sul collo. Ha guardato una trave di legno sul muro e ha pensato che fosse possibile raggiungere il cielo anche senza volare. Neanche Pietro lo sa. Non lo sa che Maria è la sua unica figlia. Non lo sa che è scappata da me, da sua madre. Non lo sa che lei è di un uomo sposato che faceva lo zingaro, ora. Non lo sa che è scappata una notte insieme al cognato e non è più tornata da me.

E io cosa so? Che ho peccato, che ho tanto peccato,

Signore. E mi dolgo. E mi pento. E mi pento e mi dolgo, Signore. Per mia figlia Maria. E ti chiedo perdono per lei e per mia figlia Evelina, per quell'uomo bello e cattivo che le ha separate per sempre, e per mio marito Michele che non ho mai amato. E per Pietro che pensava di raggiungerti prima e non è mai arrivato, come me. Per mio padre, che rivedo malato e curvato sulla sua fertile terra mentre saluto e gli dico che partirò. Per i suoi agrumeti ordinati, per il profumo pungente d'arancio, per il giallo sbiadito e il verde dei limoni non ancora maturi.

Maria non ha colpe, Signore. Lo so. Tutta mia è la sua colpa. E mi pento. E mi dolgo. E mi dolgo e mi pento. E ti chiedo perdono. Il dolore mi ha fatto morire. Più delle lingue infuocate in paese. Più di Michele. Più degli sguardi sfuggenti di Evelina. Più dei suoi occhi di nube, umidi e carichi di pioggia che non vuole cadere. Il mio dolore nel suo, il suo dolore nel mio. Nel petto di Maria, nei suoi occhi azzurri. Nella corda sul collo di Pietro. Nel cielo azzurro che non ha mai raggiunto, nell'acqua azzurra in cui non sono caduta. Nell'odore di muschio, quella notte a gennaio. La sua colpa è la mia. Il suo peccato è il mio.

Ho sposato Michele vestita di rosa, sulle spalle uno scialle di diversi colori cangianti. L'ho sposato un mattino di marzo tra Ghilarza e Busachi. Era amico di Pietro. Sulla sua bicicletta pesante ho percorso per l'ultima volta la strada di casa. E mia madre era lì che guardava. La polvere negli occhi, il grembiule legato alla vita e la sua crocchia castana. Non capiva il perché di un addio. Non sapeva dov'era il paese in cui andavo. Non c'era Sardegna nella sua geografia siciliana fatta di unghie annerite negli orti e di panni lasciati al sole sui fili, di pazienza e di giorni che rincorrevano giorni, sempre uguali da secoli e secoli. Non una parola, neanche un saluto quando ho detto che andavo a sposarmi lontano da casa, quando ho detto che non sarei più tornata.

Ho sposato Michele in una piccola chiesa, lontani da tutto e da tutti. Lontana per sempre dai miei genitori e dalla mia dolce Sicilia, e da Pietro che era ancora più dolce e più bello. Michele forse sapeva che io non l'amavo. Michele aveva puzza di cane bagnato e occhi che non riuscivo a capire. E io amavo Pietro. E l'ho inseguito in Sardegna. Michele era suo amico e l'ho sposato per questo. Anche se aveva un odore che non mi piaceva e una rabbia che non avevo capito guardandolo, ma che c'era e che non riusciva a scacciare. Ho tenuto gli occhi aperti e i pugni chiusi pregando che finisse in fretta di premermi sopra e con forza sul ventre la prima notte di nozze.

Pietro era sposato con una donna più ricca di lui e senza figli. Io ho sposato Michele per restare con Pietro, per cercare di amarlo. Ho lasciato la Sicilia per sempre, ma ho ritrovato a Is Barrocus il nido della mia aquila amica. E ho sperato di ritrovare anche l'amore. E ho scritto quelle lettere che tenevo dentro le mie gonne e che Maria frugava quando non c'ero, anche se io lo sapevo. E ho incontrato Pietro di nascosto, quella notte a gennaio. E ho tenuto il segreto, anche se è nata Maria.

Maria è nata bella, più bella di me. Aveva un pianto dolcissimo quando chiedeva il mio seno. E i suoi occhi, gli occhi del padre. Le sue mani, con le dita sottili e lunghe e dritte, e una pelle di latte e velluto. La moglie di Pietro aveva odio nel cuore. Io amore, ma non l'ho saputo aiutare. Lui è morto. E anche Maria se n'è andata. E di loro non mi rimane più niente. L'hanno trovato un mattino che aveva il viso di un azzurro più scuro degli occhi e le scarpe buone e lucide sospese a mezz'aria. L'ho saputo leggendo il giornale. E da allora ho iniziato a vedere soltanto un colore, solo nero, e non scrivevo più lettere, e non trovavo parole. Ho respirato il suo alito dolce di biancospino e melissa. C'era odore di muschio nell'aria, quella notte a gennaio. Poi è nata Maria. Michele non l'ha mai saputo. E neanche Pietro. È un segreto che ho sempre tenuto nascosto e che ho portato con me dentro il marmo di questo lenzuolo che adesso mi avvolge pesante.

Maria era bella, più bella di Pietro, più bella di me. E sapeva filare col rame e la lana, ancora bambina. E sapeva scrivere parole infuocate e d'amore. Per quell'uomo intrigante, per i suoi occhi neri e i suoi neri capelli, per i suoi neri pensieri, per la sua voce possente e la sua frusta arrogante. Avrei dovuto aiutarla mia figlia, ma non ho avuto la forza. Mi ero spenta poco dopo il suo arrivo, quando era ancora bambina, quando Pietro si era dato la morte. Non capivo. Non c'era più il sole che guidava i miei passi nel mondo. Non c'era più Pietro. Non c'ero più io. E camminavo, camminavo di fretta in una notte che non sembrava finire, ed ero sempre in ritardo, arrivavo sempre in ritardo e non riuscivo a parlare. E camminavo, camminavo in circolo, sempre dallo stesso verso, sempre, e sprofondavo sempre e sempre più in basso e tutto diventava più nero, nero, più nero del nero. E non capivo. E non sentivo. E non vedevo. E camminavo, camminavo ma senza sentire i miei piedi, senza sentire le mani, senza motivo ed ero sempre in ritardo e tutto iniziava di nuovo e si ripeteva uguale, sempre uguale, in quelle notti che non avevano fine ed erano sempre più nere e senza parole e uguali e uguali e uguali, senza parole e nere, nere, nere, più nere del nero. E cresceva Maria, intanto cresceva. E sbatteva quel vento, più forte che mai, dentro il suo petto ancora bambino. E creava Maria, con il rame e la lana, creava abiti belli come mai si erano visti e tappeti e arazzi e cuscini. E tesseva le sue storie d'amore, Maria. Poi è arrivato quel folle e piacente ramaio che ingannava le donne. E il vento in tempesta ha sbattuto di nuovo e ancora più forte, e l'ha portata lontana da Ísili, lontana da me.

Le mie figlie si volevano bene. E giocavano insieme. Evelina adorava Maria, e faceva per lei in primavera cuscinetti di papaveri viola, e cercava le farfalle più belle, e lanciavano in aria l'avena selvatica, e ridevano a rincorrersi in cerchio. Maria adorava Evelina, e creava per lei calde sciarpe e guanti e calze di lana in inverno con figure di arbusti e animali fantastici, e per lei cucinava minestre di farro e di riso e di fave e fagioli, e lanciavano in aria l'avena selvatica, e ridevano a rincorrersi in cerchio. Litigavano anche, come amiche e sorelle, ma bastava un sorriso o una lacrima o una carezza o una parola già detta o mai usata per far tornare la pace. Quell'uomo bello e cattivo le ha divise per sempre.

Aiuta Evelina, Signore. Aiutala adesso che è sola. Aiuta Maria, mio Signore, e stalle vicino come io non ho potuto, e regalale carezze e consigli di madre come io non ho saputo, e sussurrale adesso all'orecchio le storie che inventavo per lei quando ancora non sapeva parlare, e ascolta le sue, di storie, e rendile lievi e dolci e prive del pianto. Anche se ho molto peccato ti chiedo un aiuto per loro. Dimenticati pure di me, peccatrice e senza speranza, dimenticati pure di me che ho cercato per dolore e senz'ali un volo da angelo antico e ho trovato una morte che non mi lascia dolore ma solo ricordi.

Ricordi, come le mani umide e piccole di Maria, della mia dolce bambina, la mia Maria, i suoi minuscoli palmi e caldi, che tengo tra le mie mani e che respiro e bacio e respiro ogni volta che posso, e il profumo di pelle e di petali e di Pietro che mi entra e non esce, e respiro ancora e sempre, e bacio e re-

spiro e m'inebrio e stringo quelle mani così piccole
e calde e umide e così perfette e uguali alle sue, e
quelle dita belle e già lunghe e dritte, e quelle unghie,
le mezzelune d'avorio nel rosa di perla, come le mie,
e i suoi palmi minuscoli e umidi che stringo tra le
mie dita, che percorro con le mie dita e che bacio e
respiro e bacio. Poi, d'un tratto, la morte di Pietro,
del mio Pietro. E il dolore. E il buio senza ritorno. E
di nuovo il dolore. E ancora il buio, sempre più buio.
E di nuovo la morte, ma senza dolore.

Michele io non l'ho mai amato e neanche lui mi
ha mai amata, lo so. Ma io ho amato nostra figlia
Evelina, e ho amato ancora di più Pietro e ho amato
Maria, sua figlia, e in lei lui. Michele non l'ho mai
capito e neanche lui me, ne sono sicura. Michele non
mi ha mai parlato d'amore, e puzzava di bestia, e
di notte mi prendeva all'improvviso e con rabbia
quando già dormivo, e chiudeva la sua mano dura
e insicura sui miei capelli lisci e tirava, tirava forte,
e mi abbassava la testa e la spingeva al suo ventre e
poi acchiappava la cinghia e mi spogliava e mi girava di schiena e piangeva dopo avermi picchiata, e
piangeva di rancore senza riuscire ad avermi. Io l'ho
odiato, Michele, e l'avrei ucciso, ma c'era Evelina e
io amavo Pietro e stavo zitta e subivo e stringevo i
pugni come quella prima notte di nozze e anche gli
occhi chiudevo adesso e speravo che tutto finisse in
fretta e che il suo cuore si fermasse insieme alla sua
cinta di cuoio, o che almeno parlasse invece di sbava-

re parole pesanti e piangere, invece di scacciare su di me i suoi fantasmi, invece di bruciare su di me il suo fuoco bambino. Se esiste l'odio, Signore, ho odiato Michele e ne ho sperato la morte. Se esiste giustizia, Signore, deve prendersi Michele e bruciarlo, per tutto l'odio del mondo, per tutto il male che ha fatto. Se esisti tu, Signore, perdonalo e tienilo intorno al tuo scranno come un putto malvagio e redento.

Maria invece deve prenderla in braccio una madre, Signore. Fa' che Maria se la culli una madre col velo. Fa' che abbia indosso una tunica bianca e che la dondoli piano, che le sussurri parole dolci accarezzandole il viso. Maria, che se la ninni una madre, Signore, come io non sono riuscita più a fare, e che le racconti ancora più storie, che le ricordi di Pietro, suo padre, che le riporti il suo amore come io non sono più stata capace di fare.

Mia madre non mi ha mai cullato. Ma io la sognavo, sognavo di dondolarmi quando ho vestito il mio corpo di nero per Pietro che non c'era più, sognavo di ondeggiare sul mare, di ritornare in Sicilia, sognavo. Sognavo mia madre. Sognavo di essere cullata da lei, dalle sue braccia morbide e larghe come la terra di cui sapeva i segreti. Ma aprivo gli occhi, a volte, e riuscivo a guardare oltre il velo della mia inesistenza e vedevo solo Salvatorica Carboni che muoveva le labbra e mi diceva qualcosa che non riuscivo a capire, la vedevo che cercava di accarezzarmi ma non sentivo il calore, e vedevo mia figlia Maria che piangeva ma non capivo il perché, e vedevo Evelina, poco prima fanciulla, diventata in un colpo signora, e vedevo Michele, mio marito e mia croce, e sentivo il suo odore, la sua puzza di cane bagnato, e urlavo e mi strappavo i capelli e tornavo al di qua di quel velo cercando di Pietro, del mio amato Pietro.

Muta sono rimasta. Senza parole e senza più alito o vento a spingerle all'aria. Senza più occhi di madre. Senza più orecchie per carpire segreti. Senza più mani per lenire ferite. Non vedevo le mie figlie. Non capivo i loro tormenti, non leggevo le loro paure. Avevo perso le chiavi per aprire le porte, e poi all'improvviso me le trovavo davanti, le chiavi, ed erano tutte uguali, ed erano mazzi smisurati di chiavi, tutte uguali, tutte d'argento, e provavo a infilarle e a girare, girare con le mie mani sottili, troppo sottili per quelle chiavi d'argento, ma nessuna riusciva ad aprire la porta di legno scuro e pesante in cui entrava, e nessuna porta si apriva, e io continuavo a girare, girare, girare.

Muta sono rimasta. Anche quando a un tratto, e per un attimo appena, ho visto quell'uomo nuovo in casa nostra che mi guardava, che guardava mia figlia Evelina. Anche quando a un tratto, e per un attimo appena, ho visto mia figlia Maria che era diventata grande, grandissima, una donna ormai fatta e che guardava quell'uomo che non avevo mai visto. Quell'uomo era bello. Anche Pietro era bello. Ma Pietro era buono, quell'uomo cattivo. Quell'uomo ha rubato mia figlia Maria nella notte. Mi ha rubato la figlia, quell'uomo. Come si ruba un gioiello, di notte. E di notte è scappato portandola via, senza fare rumore, senza lasciare una traccia, lacerandomi il cuore come una lama che scivola lieve e calda sulla ferita senza far male e poi entra e taglia e divide e ti fa morire. E questa mia notte non è ancora finita. È infinita questa notte, mia, e senza dolore. È un ricordo che circola lento e continuo. È così, dunque, la morte? Così breve e senza fine che ti priva dei sensi ma non del ricordo?

Michele Piga

Una vergogna così non me la meritavo. In paese mi portavano tutti rispetto. Poi non mi ha più rivolto la parola nessuno. Si fa presto a cambiare colore ai capelli. Si fa presto a vederli imbianchire e poi cadere. Basta avere una figlia adolescente e puttana che scappa col marito di sua sorella più grande. Basta avere una moglie frigida e matta che si rinchiude a casa muta e vestita come un becchino e che poi si lancia nel vuoto da Is Barrocus per farla finita. Basta avere un'altra figlia, *manna e tonta, scuredda*, che si fa fottere il marito dalla sorella più piccola dopo essersi fatta mettere incinta dall'ultimo dei ramai, quel *bagasseri* di Antonio Lorrài, che era ricco sfondato a Silíus e poi se n'è venuto qui a Ísili con le pezze nel culo a fare lo zingaro e a mangiare a sbafo come un morto di fame a casa mia e a *coddarmi* tutt'e due le figlie.

Ma che cosa ho fatto di male io? Io che ogni santissimo giorno andavo a lavorare, testa china e muto come un mulo, senza rompere i coglioni a nessuno, andata e ritorno da casa mia alla colonia penale, uno stipendio sicuro di tutto rispetto che qui in paese se lo sognavano, una casa grande e a due piani, con le scale di legno grigio e buono e le finestre alte e il giardino bello con i fiori e gli alberi da frutta, e la domenica a messa con il vestito e le scarpe nuove e all'ultima moda, e il pane bello caldo comprato tutte le mattine, e il pesce fresco da Cagliari in Quaresima e l'agnello di Checchino a Pasqua, e il presepe con Gesù-Giuseppe-e-Maria e il muschio vero a Natale, e i regali dentro ai pacchi con i nastri, e tutti gli *accontenti* possibili e immaginabili.

Bagasse. Una vergogna così grande no, non la meritavo proprio, io, Michele Piga di Macomer. Di vergogna mi hanno fatto morire. Di vergogna e di crepacuore. A me che non ho mai cercato nessuno. A me che era come se non c'ero. Nemmeno le rimproveravo, le mie figlie, neanche quando si infilavano nel mio letto e giocavano a fare le troiette sotto le lenzuola, neanche quando si mettevano i trucchi della madre che già non capiva più niente. E mia moglie, poi, chi le ha mai chiesto qualcosa a quella là? Faceva quello che voleva e io zitto che glielo facevo fare. Cosa si credeva, che non lo sapevo che le piaceva il mio amico Pietro – pace all'anima sua – che gli ho fatto pure da testimone al matrimonio e ho portato in spalla la sua bara quando è morto? Mica ero scemo. Mica avevo gli occhi pieni di fumo. Mica ero nato ieri, io. Lo sapevo che le piaceva già da quando ci eravamo conosciuti al suo paese in Sicilia. Ma Pietro era già sposato, fortuna per lui. Poi si è messo una fune al collo e se n'è andato prima di tutti. Ma mi sarei dovuto impiccare anch'io, altroché, o darmi fuoco insieme alla mia famiglia quand'ero piccolo, che ero ancora in tempo per non fare la figura del coglione davanti a tutti quanti. Almeno non avrei sposato quell'esaurita persa di mia moglie. Ma era una donna quella? Non sapeva fare niente a casa, non sapeva cucinare, pulire, cucire, niente, e se ne stava chiusa nella sua stanza a scrivere e a parlare da sola anche quando stava bene. Quando si è esaurita poi ancora peggio. E chi ci poteva più parlare? E chi la poteva più toccare? Sembrava una cornacchia *arrevescia*, come diceva Salvatorica Carboni, e urlava se ti avvicinavi e provavi a dirle qualcosa, e agitava quelle braccine nere come ali senza piume e ti guardava storto come se la volevi picchiare, come se le volevi rubare gli occhi o l'anima anche, che non si sa dov'era finita, poi. E si inventava le cose. Diceva bene mia zia che la moglie uno se la deve prendere del suo paese e non da altri posti, che non sai mai quello che ti porti a casa, e meglio ancora se brutta, che per fare figli maschi ci vogliono mogli brutte che nessuno te le tocca e il seme attecchisce meglio. E invece lei era bella. Come piaceva a me, come quelle che sognavo quando ero piccolo davanti allo specchio dei miei genitori: vita sottile, seni piccoli e spalle da uccellino. E poi quell'accento, mi aveva fatto impazzire la prima volta che l'avevo sentita parlare. E quella pelle che sapeva di mimosa, i capelli lunghi e lisci e neri, e le sue mani di madreperla che avrei dato non so cosa per averle anch'io mani così.

Tutte troie le donne però, la *bagassa manna* di Eva. Ma la puttana più grande di tutte è mia figlia Maria. La principessa delle puttane e delle troie e delle *bagasse* di tutta la Sardegna, insieme a mia moglie che è la regina. Eva la doveva chiamare sua madre e non Maria, *la bagassa sua*. Porca Eva, troia di una sgualdrina. Non aveva neanche compiuto sedici anni e se n'è andata via di casa, e mica da sola, che uno potrebbe anche capire e andare a riprenderla facendo finta che non è successo niente davanti agli altri e poi scorticarla a colpi di fibbia e chiuderla a chiave in camera sua senza farla mangiare e pisciare. No, lei se n'è scappata con il marito della sorella, che aspettava anche un bambino, capito? Il fuoco che ha in mezzo alle gambe che se la bruci viva se è ancora viva e che se la continui a bruciare da morta se già se l'è portata via il demonio. Fare un torto del genere a me, suo padre, che non le ho mai fatto mancare niente di niente. Uguale alla mamma. Che poi non ho ancora capito da chi li aveva presi quegli occhi azzurri. Da qualche bisnonna puttana li avrà presi, da parte di madre però, che a casa mia donna *bagassa* non ce n'è mai stata una, e nemmeno con gli occhi azzurri. Pure con la sinistra scriveva, *malaitta istrìa*, strega maledetta, e a voglia a pestarle la mano le suore a scuola e a legargliela, sempre con quella mano sinistra tornava a scrivere e macchiava tutti i fogli con l'inchiostro nero della penna e anche la mia famiglia ha macchiato con l'inchiostro nero e anche me ha macchiato, tutto di nero mi ha macchiato, e mi ha fatto crepare come una bestia, mi ha fatto. Altro che Maria, Erodiade Eva la doveva chiamare sua mamma e anche Giuditta, Eva Erodiade Giuditta la doveva chiamare, che per colpa sua ha fatto perdere la testa alla madre e anche a me, e ci ha fatto morire tutti, ci ha fatto morire.

Tutte l'avrebbero voluto un padre come me qui a Ísili, ma anche a Macomer o a Cagliari pure, uno come me, che le mani non le alzavo mai e nemmeno la voce e non bevevo e non chiedevo spiegazioni di niente e se tornavano tardi non le sgridavo e non le mettevo mai in punizione. Ma lei era della razza della madre, che voleva tutto e non si accontentava di niente e che prima si prendeva il dito e poi la mano con tutto il braccio. E con tutte le *minche* che c'erano proprio quella del marito della sorella doveva andare a cercarsi? Per farmi morire d'infarto l'ha fatto, per farmi morire di disonore e di vergogna, me che non avevo mai fatto male a una mosca, neanche alle mosche rompevo le palle, anche quelle facevo vivere tranquille. Scemo io che le davo anche i sol-

di per comprarsi la lana e che non le dicevo niente
quando faceva casino con quel telaio anche di notte a
filare e tessere quegli arazzi del cazzo e quelle vesti e
quei lenzuoli con quelle scene di donne e di uomini,
che chissà a cosa pensava, già a fottersi il cognato
pensava e a fare cornuta la sorella e a far morire la
madre e il padre pensava e a mettermi in croce con
una corona di biancospino in testa pensava e a farmi
bere aceto prima di morire pensava. E ci metteva
dentro pure i fili di rame, che non si era mai visto
che il rame si poteva infilare nella lana grezza, solo
lei, *istrìa malaitta*, lo intrecciava e ci faceva figure
strane di animali e di uccelli e di re e regine.

Quando era piccola la dovevo bruciare, quando era
piccola e scriveva con quella mano sinistra la dovevo bruciare, come mio fratello scemo che non lo
sopportavo più perché diceva ai suoi amici che ero
frosciu e mi prendevano in giro e mi chiamavano
Kelledda femminedda all'uscita da scuola e mi lasciava senza mutande in cortile dietro i cespugli e
mi diceva che dovevo pisciare seduto, e come i miei
genitori la dovevo bruciare, che quella volta sono
rientrati a casa e mi hanno visto con i tacchi di mamma e lo scialle in testa a guardarmi allo specchio
grande della camera da letto e io non li ho sentiti
arrivare e mia mamma si è messa a piangere e a
strillare e non mi voleva più vedere in casa e babbo
mi ha mollato un ceffone sulla guancia e poi un altro

e un altro ancora e un altro e mi ha scuoiato la testa
e la schiena con l'attizzatoio a furia di darmi colpi
e mi ha bruciato la gola a furia di farmi ripetere
l'Ave-Maria-piena-di-grazia e il Padre-nostro-che-
sei-nei-cieli e l'Atto di dolore. Come loro la dovevo bruciare quella figlia, che poi io di figlie non ne
volevo e neanche una moglie, che a me le donne
se vuoi proprio saperlo non mi sono mai piaciute
come piacevano ad Antonio Lorrài o a quelli come
lui, a me piaceva guardarle perché volevo rubare i
loro segreti e anche Rosaria l'ho sposata solo perché
volevo essere come lei e perché piaceva a Pietro e
pensavo che così mi stavo sposando Pietro anch'io.
Bruciare la dovevo, come la casetta di Bonu Trau a
Macomer con mio fratello scemo e *pezzemerda* dentro e i miei genitori che tanto non mi volevano più
parlare, bruciare e fare finta che era stato un incidente e che il fuoco era uscito correndo dal camino
e si era mangiato le tende e il legno delle finestre e
delle porte e poi i letti con mio fratello *pezzemerda*
e scemo dentro e mia madre che non mi parlava
più e mio babbo che mi sputava in faccia quando
mi vedeva, bruciare la dovevo quella *malaitta istrìa*
che mi ha tolto l'onore che mi ero guadagnato con
fatica in tutti questi anni lontano da casa mia, che se
sapevo che dovevo morire con disonore e di crepacuore lontano da Macomer, nemmeno mi sposavo
con mia moglie che neanche lei mi voleva e non ne
facevo figlie e rimanevo a farmi trattare da checca

da mio fratello scemo e *pezzemerda* e dai miei genitori, e magari me ne scappavo in continente a vivere
con Pietro, che se sapevo che andava a finire così
almeno mi facevo felice e glielo dicevo a Pietro che
lo amavo e magari anche lui non si stringeva una
corda al collo e non si ammazzava triste come ha
fatto. Ma a Pietro piacevano le donne, e gli piaceva
quella matta di mia moglie, lo sapevo, e la sua di
moglie era più stitica della mia e aveva pure l'ute-
ro secco e duro. Neanche un figlio ha avuto Pietro.
Meglio per lui, che se aveva due figlie come le mie
si ammazzava anche prima.

Cosa ti credi, che sia facile farsi una reputazione e
cancellare tutto e ripartire da zero, senza una famiglia, senza amici, senza nessuno? Io ci ero riuscito
dopo l'incendio. Da *frosciu* a responsabile della colonia penale di Ísili, una moglie bella che gli altri
uomini se la mangiavano con gli occhi quando ci vedevano passeggiare insieme per le vie del paese, due
figlie sane e belle anche loro, tutti a farmi le riverenze
e i complimenti, signore di qua signore di là, io a
sborsare soldi per tutto quello che serviva e anche di
più, io a fare la faccia bella davanti alla gente durante
le feste e sorrisi anche quando avrei voluto piangere, e nessuno che ci pensava a come stavo io, se ero
felice, se Michele era Michele, nessuno ci pensava.
Mica è facile fare l'uomo se non lo sei, fare il maschio
come diceva mio padre, fare il duro, quello che porta

i pantaloni, quello che usa la cinta, quello che c'ha
le palle così, quello che devi-abbassare-lo-sguardo-
quando-ti-rivolgi-a-me, quello che qui-comando-io.
Mica è facile cambiare pelle solo perché agli altri
non piaci, perché-così-non-si-fa, perché-Dio-non-
vuole, perché-è-peccato, perché-sei-malato, perché-
un-figlio-così-meglio-morto. Ma io ci ero riuscito,
a pianti, ma ci ero riuscito a diventare quello che
volevano gli altri. E affanculo mio fratello scemo e i
miei genitori, affanculo tutto, i miei desideri, i miei
sogni, io, che se era per me non rinascevo nemmeno.
Affanculo tutti dopo l'incendio. Anche due figlie ero
riuscito a fare, che se ci ripenso mi viene il vomito.
E poi arriva quella *bagassa* di mia figlia più piccola, Maria, a rovinare tutto, e prima di lei quell'altra
bagassa di Evelina, che era tutta Bibbia e Vangelo e
alla fine si è fatta *coddare* dal primo Antonio Lorrài
dei miei coglioni che ha visto, come la più puttana delle figlie di Eva. E ho dovuto alzare la voce e
smuovere la merda e farlo minacciare da chi so io
quel puttaniere venuto da Silíus per costringerlo a
sposare Evelina, che lui non ne voleva sapere e diceva
che era stato un incidente, che era ubriaco, che non si
ricordava, che non era stato lui a metterla incinta, ed
Evelina che diceva di perdonarlo, di lasciarlo stare,
che lei lo amava lo stesso ma che ci avrebbe pensato
lei da sola a suo figlio, a quel figlio *burdo*. Ma ho dovuto fare il duro, io, ho dovuto tirarle fuori un'altra
volta le palle, le palle di mio padre e di mio nonno,

le palle dei pastori, le palle del maschio sardo che è tutto d'un pezzo e che non si piega, ho dovuto tirarle fuori le palle, e farlo mettere in ginocchio da chi so io il bell'Antonio, lo zingaro del cazzo, il ramaio con la frusta incandescente. Gli ho fatto venire una bella *sprama* e alla fine l'ho costretto a sposare mia figlia Evelina, a onorare la mia famiglia (perché io me l'ero creata una famiglia, per essere normale, *a gana mala*, a vomiti, ma me l'ero meritata una famiglia, come voleva mia madre, come voleva mio padre, come voleva la morale, la gente, Dio), e anche a casa mia gli ho permesso di stare a quel verme schifoso. E lui cosa ha fatto? Cosa ha fatto quel porco di un maiale, quel maiale porco di un uomo? Pure l'altra figlia mi ha messo incinta, brutto pezzo di merda, brutta merda di uomo. Non bastava la vergogna per una figlia, che sforzandomi ci ero anche riuscito a insabbiare tutto e a mettere su un matrimonio decoroso, no, anche l'altra si doveva scopare, anche l'altra che aveva solo sedici anni mi doveva mettere incinta. Ci mancava solo che si scopasse anche quella muta esaurita di mia moglie e mettesse incinta anche lei che era in menopausa. E cosa ha fatto, dopo, lo zingarello bello con l'arnese caldo che luccica e sputa fuoco alle femmine? Se n'è scappato con mia figlia Maria, mia figlia Maria che era ancora minorenne e che non sapeva neanche come fosse fatto un uomo. Se l'è scopata e se n'è scappato portandola via chissà dove di notte, quel cagasotto di un *coddatore* di donne degli altri a tradimento. Perché aveva paura che gli facessi staccare e svuotare le palle da qualche ex galeotto mio amico e poi lo facessi dare in pasto ai maiali, a lui e alle sue palle svuotate, che quella è la fine che merita. Se n'è scappato di notte quel fifone di un bandito donnaiolo e non si è fatto più rivedere. Ma meglio per lui. E meglio anche per mia figlia Maria, che non l'avrei voluta rivedere di certo, sgualdrina, che già l'ho fatta diseredare subito. E che bruci all'inferno con mio fratello scemo e con gli amici di mio fratello scemo e *pezzemerda* e con mio padre e con mia madre e con sua madre pazza, o che muoia di fame e di sete e di mali atroci se non è già morta.

Antonio Lorrài di Silíus

Da quando mi hanno lasciato solo in questo posto non vedo più nessuno e nessuno più mi vede. Ho perso l'abitudine a scrutare non visto qualcuno che mi osserva. Lo facevano le donne come te un tempo, anche se a guardarle per primo direi che sono sempre stato io. Ma tu stai ferma in piedi e muta, qui davanti, e non la smetti di fissarmi. E hai occhi che ho già visto. Ma ho un vuoto di memoria, adesso, e non ricordo. E dimentico anche i nomi dei miei amici (che forse non ho avuto) e i miei nemici (che ahimè ci sono stati). Lascia che riposi in pace. Lasciami da solo. E abbassa quello sguardo silenzioso. Mi fissi e stai zitta. Mi fissi e non rispondi. Fissi la parte sbagliata di me, però: quella che c'è ma non è stata. Potresti farmi delle domande, almeno. Potresti chiedermi chi sono veramente, chi sono stato e dirmi tu chi sei o vorresti essere. Risponderei senza mentire, ti ascolterei senza fiatare. Ma non mi piace essere guardato. Non più. E non capisco cosa cerchi osservando una fotografia che non ho chiesto di scattare e che era grigia scura e ora tende al bianco.

Potrei spiegarti tutto. Potrei giustificarmi e raccontarti la mia storia, se un po' ti interessasse. Lo farei senza bugie, adesso. Perché ho capito chi sei e mi è tornata la memoria. Perché quegli occhi io li ho già visti sopra le acque lente del Mulargia poco prima di morire.

Sono un Lorrài di Silíus. Famiglia di ricchi proprietari terrieri, la nostra. E se smettessi di guardare quella stupida foto ormai sbiadita potresti vedermi davvero e vedere la parte giusta di me: quella che è stata e che ora non c'è. Ho capelli ricci e folti e non uso gli occhiali. E ho sempre amato donne che mi hanno riamato e la vita bella e i soldi per poterci giocare e le carte, ma fuori dal mazzo. E Maria, Maria sopra ogni cosa. Anche se poi è andata come è andata e come in parte non ricordo. Tutto il resto è un cumulo contorto di cose anche non vere, e quella foto in bianco e nero è la più falsa. Non credere alla gente e a quello che ti dice. Perché la gente ricorda solo ciò che vuole ed è invidiosa. E le foto, poi, le foto raccontano soltanto parti di qualcosa spacciandole per tutto e verità.

Ho i capelli ricci e folti e neri e lucidi, dicono, come di merlo che non trova riposo. E ho scritto più di una poesia. E non porto quegli stupidi occhiali. E ho amato Maria, Maria sopra ogni cosa. Potrei giurartelo su questo sole a picco che riscalda il marmo finto e il rame, e su questa luna di giorno che lo guarda assorta e pallida in volto. L'ho amata di amore che brucia e ho bruciato più vite, compresa la mia, ad amarla di amore amarissimo e ardente. Fino a perdermi e a perderla per non ritrovarla.

«La vita è bella, Antonio. E non c'è niente da piangere, ora, figlio mio. Conserva le lacrime per quando serviranno davvero a salutare i tuoi genitori, ma per un addio. Non piangere e guarda queste terre secche ma immense di Silíus che sono tue e di nessun altro. Senti le braccia forti di tuo padre che adesso ti stringono strette e il seno gonfio di tua madre che ti culla e ti sfama. La vita è bella, figlio mio, per te che sei padrone in questa terra soleggiata di Silíus, padrone di queste pecore gialle come le nuvole cariche di sabbia e di pioggia e di questi cavalli scuri come la notte che ti ha portato e come gli occhi che hai ancora velati di pianto e di sangue materno.»

Mio padre aveva cinquant'anni quando mi ha visto nascere. E altri cinquanta quando mi ha visto morire. Tutte donne nella mia famiglia. Tutte prima di me e io ultimo, ma maschio e quindi primo per mio padre. Erede di un cognome che non ho tramandato e di troppe terre che non ho mai zappato. Ho smosso zolle scure solo per mescolare il mio seme alle vendette e mischiato la mia pelle alla polvere ma solo sotto ulivi e sopra qualche femmina. Cinghiale randagio dal pelo ispido e nero, mi dicevano, ma mosso come tempesta di notte. Animale solitario e irrequieto, dico. Ma ho amato davvero Maria: il sesto giorno di settembre sotto i filari viola di un vigneto maturo, senza vino e senza nuvole in cielo. L'ho amata di amore vero e acceso, di fiamma amara ma sincera e ho tramandato il mio seme anche se senza il mio cognome.

Piccolo piccolo visto dal basso, da solo e furtivo, m'inerpico e ricostruisco le rovine di Org_u_glioso dal nulla e le torri ridiventano alte fin sopra le nuvole e aiuto Mariano e le sue truppe assetate e stanche. Suona una musica come di tromba nelle mie orecchie e sono rosso, soldato rosso, con il mio arco teso pronto a scoccare una freccia di ferro e palle di carta infuocate e a riceverne altre sulla mia cotta di maglia e a scansarle veloce. Piccolo uomo sognando bionde Eleonore e brune da amare e le mie terre pesanti da difendere e poi abbandonare e voglie irrefrenabili di orizzonti diversi e di potere assoluto da non controllare e di seni tanto grossi di donne da non riuscire a tenerli.

Aveva cinquant'anni mio padre quando mi ha visto nascere e sessanta quando mi ha insegnato ad andare a cavallo senza sella e a passo portante, settanta invece quando in groppa al mio cavallo meno scuro di quella notte senza stelle me ne sono andato da Silíus per non farci ritorno e per cercare altrove la

mia libertà. Ho gettato il mio abito d'orbace buono
e la camicia ancora bianca, e alla vita ho stretto una
fascia rossa e di seta per diventare uno zingaro, io
che a Silíus avevo cento terre che stavano ferme, da
cent'anni e per cent'anni ancora ad aspettare me, che
fermo però non sono mai riuscito a restare. Gitano
del rame e d'amore tra feste paesane e ricche donne
sposate o ragazze giovani e vecchie ancora senza marito, a percorrere strade piene di curve e di polvere
e di vento e di pioggia e di fango, ad annunciare
sventura ad alcuni e piacere alla parte maggiore.

«E kie keret paiolos e sartainas? E kie kambiat
s'arrámini 'etzu kun su nou?» *Lungo tutta la Trexenta
e il Sarcidano e la Marmilla e la Barbagia anche, con il
mio carrettone trainato dal mio scuro e fidato cavallo,*
de sa spruna a s'impruna, *dall'alba al tramonto, a
urlare e a convincere donne a comprare la mia mer-
canzia.* «Chi di voi vuole padelle e paioli? E chi cambia
il vecchio col nuovo?» *Girovago d'amore e del rame. Il
più abile di tutti a far schioccare la frusta per attirare
attenzione. Dal tramonto all'alba,* de s'impruna a sa
spruna, *a far urlare di piacere le donne, sotto l'ombra
colpevole di complici ulivi o di umidi fichi odorosi,
e a riempire di paioli e padelle di rame le pareti più
alte delle case più belle. Sono il nuovo, sono rame che
luccica, sono* gagiu, *imbroglio abbagliante di cui poco
fidarsi, sono Antonio Lorrài di Silíus* piscaggiaiu, *im-
peratore dei ramai e degli zingari di Ísili senza esserci*

nato, dominatore assoluto delle donne, da Senorbì a Nurallào fino oltre a Seùlo.

Avevo imparato a battere il rame e a nascondere bene il cerchio leggero e scuro di ferro perché mantenesse agli oggetti la forma e il colore brillante senza essere visto. Avevo imparato a usare il martello quasi come un pennello per creare arabeschi prima non ripetuti e a parlare arbaresca e mischiarla col sardo e con parole inventate per non farmi capire dagli altri o per farmi capire e convincerli. E ho imparato a rubare l'amore nascondendo il ferro sotto il rame e mescolando parole vere a parole usate ma soltanto per gioco. E adesso che non giro più tra il Sarcidano e la Barbagia sin giù alla Trexenta e che resto qui fermo a guardare te che mi osservi, e il cielo sopra di me ha sempre lo stesso colore, mi riaffiora ancora il ricordo (e senza troppa fatica) di quando ho incrociato lo sguardo di Maria la prima volta. E si mescola cupo alla mia casa che d'un tratto non c'è più e a mia madre che non mi saluta e al mio arrivo a cavallo giù a Coroneddu e alle notti a dormire sulla paglia del mio carrettone ogni volta sotto un cielo diverso col mio cavallo scuro senza vedere le stelle. E ritorna di nuovo: i miei occhi che fissano i suoi e non li lasciano, i suoi occhi che affondano dentro i miei occhi e li frugano.

Evelina rapita e violata per un bicchiere di troppo e troppo scuro di vino. Evelina ghiacciata sotto il vesti-

to, Evelina zitta durante l'amplesso. Evelina che dopo sanguina e lacrima, sempre in silenzio. La festa lontana che ancora continua e l'odore di arrosto e di fumo e qualcuno che cerca i suoi passi. Rumore di piedi intrecciati e ritmati e l'aria sbuffante e allegra delle fisarmoniche e luci nel cielo. Evelina che scuote la sua gonna nera e larga rialzandosi e asciuga il suo viso col dorso già umido. Evelina che poi torna indietro e mi guarda e mi giura che non parlerà di violenza ma di amore sincero e da sposi. Evelina di fianco e al dito un anello che non vuole entrare. Sull'altare. Chiesa di San Saturnino, come in una prigione: una falsa passione, la colpa, e un istinto animale. Un matrimonio che non ho voluto e un bambino mai nato la pena.

La chiesa è vuota. Non c'è nessun altro: solo io e lei, e i suoi genitori divisi e distanti, e sua sorella Maria, che ha un vestitino bianco a fiori viola su una pelle liscia e occhi di cielo e seni che sull'altare mi ubriacano sobrio e raschiano le mie viscere senza far scorrere sangue e fermano i miei battiti in gola. Li fermano senza riposo. E riesplodono lenti e subito veloci, privati di ritmo. E i miei pensieri evaporano sul letto nuovo dove accanto ho una donna che non riconosco. E si cristallizzano mentre lei mi domanda se sono felice. E sto zitto. E ripenso a mio padre e a mia madre e al vino e a quei seni che gonfiano il bianco sottile e il viola dei fiori e all'azzurro degli occhi e alla sua pelle lucida. E mi sento bruciare la

*mia di pelle e il mio petto e il mio ventre è sventrato:
è fuoco quello che sento, è fuoco che scrosta la ruggine
e scioglie anche il rame, è fuoco che graffia e fa male,
il male di ciò che vorrei ma non ho, di ciò che non
puoi ma che avrai.*

*Voglio una notte senza luna, stanotte. Voglio nascon-
dermi sotto una quercia e rannicchiarmi, madre. Voglio farmi abbracciare dalla terra calda e respirare
l'umido che mi avvolge il viso. Voglio scacciare via
questi pensieri. Voglio una tana dove entri il vento,
ma senza luna. Almeno per stanotte. Voglio che la
tua mano cancelli tutti questi pensieri e mi rasereni.
Voglio i tuoi occhi, Maria. Voglio i tuoi seni, Maria.
Voglio toccarti la pelle e sentire i capezzoli teneri sulle
mie dita tremanti. Voglio baciare il tuo collo liscio e
sottile. Voglio scendere lento annusando il profumo di
uva e bucato. Voglio una notte senza nuvole in cielo
domani e una luna potente e accecante che ci riflet-
ta nudi dei corpi e dell'anima sull'avena selvatica e i
papaveri viola.*

Ho passato notti insonni a cercare di cancellare quegli occhi dalla mia memoria e quei fiori viola su quel
vestitino bianco. Ho provato a dimenticare la sua
pelle e ad allontanare il ricordo del suo seno, ma invano. La pancia di Evelina cresceva intanto, anche se
lenta. E il mio letto era sempre più grande e la donna
al mio fianco sempre più sconosciuta.

***

Ore pesanti come giorni, giorni pesanti e lenti come mesi, mesi infiniti come anni durati in eterno. Mi sento ospite aspro e triste e del tutto sgradito sotto queste mura strette che soffocano sogni e speranze. E fuggo tutti gli sguardi che vedo, sfuggo a voci che chiamano ma non il mio nome. E inseguo e non voglio ma lo faccio lo stesso, più vinto che perso, il richiamo di immagini arcane e melodie misteriose.

Ho pensieri di morte e scrivo ancora poesie e leggo ancora poesie, tutte d'amore. E Maria ha sedici anni e trova rime e parole che io non saprei e me le lascia dentro le scarpe al mattino come sassi pesanti. E sulla strada polverosa del ritorno trascino sul mio carro ogni volta un peso eccessivo anche per me. La mia frusta non è più la più svelta e io non so più cosa sono a quest'ora di notte e mi trovo a toccarmi le guance bagnate di pianto e a passare le mani umide sul crine caldo del mio amato cavallo e ad asciugarle e a sentire per poco sui palmi un istante soltanto di pace.

Stavo fuori paese anche per settimane, pur di non tornare a incrociare i miei occhi con i suoi, pur di non affondare dentro il peso di quei sassi d'inchiostro e di carta. Le lasciavo i fili sottili di rame che mi chiedeva, di rientro da Cagliari, e li poggiavo sulla cassapanca all'ingresso della sua stanza. Sapevo che li avrebbe annodati su lana grezza, e ogni sera sentivo il telaio di legno e i pedali ritmare geometrie non consuete e mai più praticate. Sapevo che quando cessava la musica lenta di mani e di piedi e di fili rosati, scorreva in silenzio la penna sul foglio a infuocare i pensieri. Io di notte sognavo nel nero più pesto della mia solitudine la rupe di San Sebastiano che cedeva sotto i miei piedi e il mio corpo cadere sempre più in basso dentro un pozzo bollente e senza luce di fuoco per non risalire.

Fu lei a portarmi alle vigne. Fui io a non saper resistere quel 6 di settembre. Fummo in due a volerci scambiare l'amore. Fu l'odore dell'uva matura o il profumo leggero delle sue vesti, fu l'alloro e la cenere calda o il sudore e la terra, fu un intreccio di spiriti e carne. Fu l'amore come mai riprovai in vita mia. Fu leggero come carta che rotola lieve sopra il dorso di nuvole. Fu respiro intrecciato e poi unico, che mai è ritornato.

Quello che è successo dopo a tratti fatico (e non poco) a ricordare com'era. È stato rapido e confuso: partire nascosti, trovare rifugio, una casa in un posto diverso, un lavoro lontano e anche quello diverso ma uguale, una terra più calda e una figlia. A Terrubia: venditore abusivo di acqua e di pane fuori dalla miniera, fuori dalla stazione, poi, sempre a vendere ma cose ogni volta più elaborate e costose. Ora pasta, ora birra, ora bibite nuove, ora nuove follie americane, a Nuxis e a Narcao. Secondo figlio e terzo, e soldi che iniziano a entrare e a uscire più veloci di prima. Venditore ambulante e padre, ma sempre più assente e lontano, a Cagliari in cinque in via Canelles, e sotto, la sera, tutta quanta l'immensa città che pian piano rinasce da una guerra passata ma ancora vicina. E io perdo Maria, giorno per giorno, e i suoi occhi azzurri e ora spenti nella grande città.

«In Arrega Callera su piscaggiaiu at fatu friggedda de arrollanti 'e grunivu cun millanu assai» dicono quando mi vedono a Cagliari. E hanno ragione i miei vecchi compagni gitani e ramai: lo zingaro del rame ha fatto i soldi e si è comprato una macchina nera e veloce più della notte e del suo scuro cavallo, del mio nibaru sceccu che ora è morto lasciandomi solo. E l'ha pagata tanto, dicono. E a caro prezzo, aggiungo, e senza trovare di nuovo quel respiro intrecciato. E adesso sfreccia nella grande città tutta bianca senza più pentole a bordo e senza moglie né figli, e gli hanno pure scattato una foto che non avrebbe voluto e che è stata attaccata su quel pezzo di carta che vale come una frusta quaggiù per girare il volante e attirare attenzione fuori dal finestrino a chi ti guarda distratto. E adesso non beve più latte al mattino né vino scuro di festa alla sera, ma intere bottiglie di liquido denso e più giallo del piscio del mio smunto cavallo, che ti mangiano l'anima e ti divorano pure il ricordo. E

passa le notti lontano da casa con amici mai visti a
giocare su un tavolo verde e a fumare sigari fino al
mattino.

Ho smesso di essere Antonio Lorrài di Silíus il 22
febbraio di quell'anno maledetto che mi ha visto
morire. Mi sono lasciato Castello alle spalle, sul sel-
lino indurito e la ruggine della mia bicicletta. Tutta
discesa e poi pedalate pesanti fuori dalla città. Avevo
gente là dietro che mi cercava e carte segnate dentro la sacca e la testa che c'era e non c'era. E ogni
tanto perdevo controllo e memoria. Ho dormito al
freddo e nascosto nella campagna di San Basilio, e
ho risentito come un rumore di tromba ronzarmi
dentro le orecchie. La mattina dopo mi sono fermato
a Sant'Andrea Frius e ho visto gli occhi di Maria (ma
non i suoi) un'altra volta. Anche se lei non guardava. Anche se lei non frugava nei miei. L'ho portata
alle vigne ma non c'erano foglie e il viola degli acini. Erano vigne di morte e fredde, e abbiamo fatto
l'amore o la morte. E ho fatto l'amore da solo tra i
filari seccati dal gelo. Perdonami tanto se il resto non
me lo ricordo.

Mariaocchidicielo, santissima e persa, dannata.
Mariapelledipesca che accarezzo per l'ultima volta.
Marialattedisangue che bagni il mio petto di pianto e
trasformi in pazzia queste mie fantasie. Perché piangi,
Maria? Perché non ti lasci toccare, Maria? Maria-

privadigrazia. Maria perdo la testa, Maria. Maria non ti riconosco, Maria. Perché piangi e non parli, Maria? Hai le labbra ghiacciate e le mani, hai il respiro che manca, ho la voce che trema e la vista che un poco ritorna.

Sapevo intessere parole per confondere e convincere gli altri e soprattutto le donne, *giranti 'e arrámini e gitano d'amore, sculcante amarichi de chito ramai.* Sapevo inventare parole per convincere e per confondere, girovago d'amore e del rame e padrone di terre che non ho mai abitato. Sapevo intrecciare sardo, italiano, arbaresca e creare anche nuovi dialetti: la mia lingua è sempre stata veloce e abile, molto più delle mie gambe.

Sono morto a Orròli – inseguito e sparato – in un giorno in cui non pioveva.

Giovannino Medda

L'ultima volta che l'ho visto quasi non lo riconoscevo. Era invecchiato. Aveva uno sguardo che non mi ricordavo. Spento, direi. Ci siamo incontrati per caso. Per me era la prima volta. Mi aveva trascinato un collega, quella notte che mi aveva visto giù perché in ospedale era stata una brutta giornata: il bambino di otto mesi, che era arrivato in braccio alla mamma con la febbre alta il giorno prima, era morto. Sotto i miei occhi. Senza che io potessi fare niente. Meningite fulminante. Non avevo mai visto un bambino morire. Non conoscevo ancora il senso di impotenza che si prova a essere medici e a vedere un piccolo corpo che si contorce, che cerca il tuo aiuto e non lo trova, che provi a curare ma non ci riesci, che a poco a poco si ferma e resta immobile, e poi non c'è più, non è più, nel modo più semplice e assurdo. Senza motivo. Senza senso. Senza che io potessi intervenire. Senza che il tempo potesse fermarsi o tornare indietro. Morto. Così: nel modo più assurdo e semplice. Senza perché.

***

Quella era la prima volta per me. A me non piacevano le carte, i giochi d'azzardo. Avevo figli piccoli a casa e mia moglie che mi aspettava quando finivo il turno tardi al pronto soccorso. Ero ancora giovane. Ero innamorato di mia moglie. E amavo i miei figli. Non vedevo l'ora di tornare per parlare con lei, per raccontarle i progressi con i bambini malati in ospedale, i miracoli che faceva Dio guarendoli a volte senza che nemmeno io sapessi spiegarmelo. Le avevo raccontato anche di quella donna che era venuta nel mio studio il giorno prima, con quel bambino in braccio, quella donna che mi aveva supplicato di salvarglielo suo figlio, «Ninnino» lo chiamava, me lo ricordo ancora, «Ninnino di mamma» gli sussurrava soffiando sulle sue guance bollenti quando ho finito di visitarlo e lo rivestiva.

Tutti i giorni non vedevo l'ora di tornare a casa. Tranne quella notte. Quella notte sarei voluto salire in cielo e parlare con Dio e chiedergli perché. Quella notte avrei voluto bruciare il mio camice bianco e diventare gabbiano e volare sopra le colonne di quell'ospedale vecchio, sopra le mura bianche di Castello. Avrei voluto perdere la memoria e lasciare aperte le braccia e trasformarle in ali e continuare a volare come un gabbiano, volare sopra Marina, sopra il porto, sopra il colle di Bonaria, volare veloce sopra lo stagno di Molentargius e poi ancora più su, in alto, sino a Monte Urpinu, e più su ancora, più su, più in alto di tutto e di tutti, sino a Dio, per parlargli, per chiedergli perché faceva morire i bambini a otto mesi, perché faceva piangere di dolore le madri e le lasciava vedove dei loro figli, orfane dei loro figli, perché mi aveva reso inutile, perché mi aveva fatto diventare impotente, e perché la città continuava a essere così maledettamente bella anche di notte, anche senza le luci, anche se era appena morto un bambino a otto mesi e la sua mamma lo piangeva ancora.

Per me era la prima volta che non tornavo a casa di notte. Ed è stata anche l'ultima. Lui invece giocava ogni sera. Ville diverse, tavoli diversi, carte diverse. Ogni sera. Io non ho più giocato da quel giorno, solo qualche volta al mercante in fiera o a pinella con i miei figli o con i miei nipoti, ma mai più per soldi. E ogni volta che ho rivisto un jolly dentro un mazzo di carte mi sono ricordato la faccia che aveva quel giorno. Un jolly sembrava, un jolly pazzo e invecchiato, un jolly con gli occhiali e con lo sguardo vuoto, un jolly con pochi capelli e con un sorriso più vuoto dello sguardo. Avevo perso non so quante mani quella sera, e qualche soldo. Anche lui aveva perso, ma molto di più. Perdeva spesso nell'ultimo periodo, così mi aveva raccontato, e aveva molti debiti e molta gente che gli stava addosso, creditori, usurai ai quali si era rivolto per non perdere il negozio che aveva, credo, e la sua casa. Dopo quella notte non l'ho più rivisto. È morto poco tempo dopo. Se n'era parlato per qualche settimana qui a Silíus, anche su «L'Unione» avevano scritto qualcosa. È morto ammazzato vicino a Orròli, dentro il lago Mulargia. Ma non sono mai riusciti a trovare chi l'ha ucciso. Che io sappia figli non ne aveva. Se sono andato al suo funerale? Certo che sono andato. Era un mio amico, anche se non ci frequentavamo più dai tempi in cui eravamo bambini. Non c'era nessuno al suo funerale. Solo una donna vestita di nero tra i primi banchi della chiesa parrocchiale. Credo fosse la moglie, ma l'ho vista solo di spalle e non me la sono sentita di avvicinarmi per farle le condoglianze. Non so come si chiamasse, non l'ho mai conosciuta la moglie. Quella notte non me lo disse il nome. E a pensarci bene, forse, non mi disse nemmeno che era sposato. O magari sono io che non me lo ricordo. Ma che era sposato lo sapevo. Mi parlò tanto di una donna, questo sì, ma conoscendolo non riuscivo a capire se parlasse della moglie o della sua ultima conquista. Mi disse che era innamorato, però. E la cosa mi lasciò sconvolto, più del whisky che stava iniziando a scorrermi nel cervello. Antonio Lorrài innamorato. Tutto avrei pensato tranne che uno come lui potesse innamorarsi. Il donnaiolo di Silíus, quello che intagliava la corteccia dell'eucaliptus di Riu Padenti con il suo serramanico ogni volta che si portava a letto una donna. Deve esserci ancora laggiù, tutto spellato, quell'albero. Mi disse che era innamorato di una donna bellissima, ma che non ce la faceva più, che la vita era troppo difficile, che la città gli aveva fatto perdere la testa. Tutti quei soldi, le macchine, tutta quella velocità. Mi disse che voleva proteggerla quella donna bellissima, e che la amava, e che scappava lì la notte perché la amava e perché voleva proteggerla, perché sperava di rimettere tutto a posto vincendo. Non voleva farla soffrire, non voleva che sapesse che aveva debiti e che non riusciva a pagarli. Mi ricordo che gli prestai dei soldi, quella notte, e lo invitai a casa mia per continuare a parlare. Prese i soldi dopo avermi abbracciato, ma a casa non venne mai. E non lo rividi più. Che si era sposato, e con una ragazza di Ísili, l'avevo saputo qualche anno prima da un mio amico che l'aveva visto a Gergei, quando faceva il ramaio e girava su e giù per la Sardegna. Ad Antonio è sempre piaciuto viaggiare. Anche quando era piccolo non stava mai fermo. Mi trascinava a cacciare i serpenti. Li sfidava con un bastone di legno e poi, dopo che li aveva messi alle corde, li finiva a colpi di pietre. A me non piaceva cacciare i serpenti, ma con lui facevo anche questo. E inseguivamo anche le cavallette e le mantidi religiose, lui le acchiappava e io facevo finta di curarle con l'erba fasciando loro le zampe e cospargendole di terra mischiata con l'acqua.

***

L'hanno seppellito nel cimitero di Ísili, Antonio. È lì che abitava, o almeno credo. So che aveva un negozio a Cagliari, che era commerciante. Questo me l'ha detto lui. Un negozio di alimentari, mi pare. Mi ricordo che ho pensato che non ce lo vedevo proprio Antonio Lorrài in un negozio di alimentari. Non l'Antonio Lorrài che mi ricordavo io, almeno. Quello che avevo davanti sì, con quel viso stanco e sfatto e la pancia gonfia, quell'Antonio che non era il mio Antonio ce lo vedevo a vendere panini e mortadella, ma non quello che mi aveva insegnato ad andare a cavallo o a fischiare mettendo le dita in bocca, non quello che mi aveva spiegato per primo come erano fatte le donne. Non gli piaceva stare fermo, però. Neanche con tutti quei chili in più e quei capelli in meno. Giocare a carte invece sì, gli piaceva. Gli ricordava quando eravamo piccoli, mi ha detto. I cavalli, i cavalieri, i fanti, le regine, i re. E i soldi: vincerli, perderli, lo faceva sentire vivo, almeno durante la notte. Non so perché si sia sposato. Antonio non era tipo da legarsi, tipo da matrimonio poi ancora meno. Non c'era donna che riuscisse a tenergli testa. Era troppo bravo con le parole e riusciva sempre a sfuggire al giogo dopo aver aggiogato lui stesso per primo la preda.

Quella notte abbiamo parlato e bevuto molto. Lui parlava e beveva, io bevevo e ascoltavo. E più bevevo e più cercavo di dimenticare. Ma più cercavo di dimenticare e più mi inseguivano quei visi, quel viso, il viso del bambino che roteava gli occhi e diventavano bianchi, e il viso della mamma e gli occhi della mamma, di quella mamma che piangeva, le lacrime nei suoi occhi, occhi garbati, azzurri. Ho bevuto sino a non ricordarli più quei visi, quegli occhi. E mi sforzavo di concentrarmi sulle parole che uscivano dalla bocca di Antonio, da quella bocca che non sembrava più la sua, che mi parlava di quando eravamo bambini e giocavamo a fare i guerrieri, e lui giocava a fare il guerriero e io lo imitavo e lo seguivo e giocavo con lui.

L'avevo conosciuto bene Antonio. Era il mio migliore amico, quando eravamo piccoli. Abitavo vicino a casa sua. Mio padre aveva i terreni che confinavano con quelli del suo. Mio padre era medico come me, come mio nonno, come il padre di mio nonno. Queste terre adesso sono mie, poi saranno dei miei figli, e poi dei miei nipoti. Sono tornato qui dopo essere andato in pensione. Mi piace la campagna. Mi piace andare a raccogliere i funghi con i miei nipoti più grandi o uscire insieme a quelli più piccoli subito dopo la pioggia per vedere con loro le lumache che sgusciano e strisciano sulla terra. Mio figlio è medico, si è specializzato in cardiologia. Anche i miei nipoti stanno studiando medicina. Le terre dei Lorrài credo le abbiano vendute dopo che è morto il padre di Antonio. Aveva cent'anni quell'uomo, don Giuà, quando è morto. Credo che non abbia mai perdonato il figlio, quel figlio maschio che aveva desiderato tanto e che se n'è andato senza tornare più, rifiutandosi di proseguire il lavoro fatto dal padre. Erano terre belle, quelle. Più belle delle nostre. Avevano anche le pecore i Lorrài. E io e Antonio le cavalcavamo, facevamo finta che fossero cavalli, cavalli bianchi, anche se lui preferiva sempre cavalcare quelle nere, perché erano più rare. E giocavamo a fare i guerrieri. Due bambini a cavallo delle pecore. Due cavalieri con le lance di legno in mano e le nostre armature di stoffa rossa. Lui sognava di conquistare tutte le terre di Silíus, tutte le terre della Trexenta. Sognava di diventare il re, me lo ricordo, il re della Sardegna, diceva. E sognava di ricostruire il castello di Sassài e di conquistare anche Eleonora, Eleonora d'Arborea, e di sposarla, e di regnare con lei su tutta quanta la Sardegna, da Cagliari a Sassari. Gli piaceva giocare alla guerra. E quando non giocavamo alla guerra mi diceva che l'avrebbe ritrovato lui il telaio d'oro della castellana sepolta viva a Orguglioso, quello di cui parlavano i vecchi, e che avrebbe ritrovato anche lei, la castellana, addormentata e bella, e che l'avrebbe risvegliata con un bacio e uno squillo di tromba, d'estate, durante una notte di luna piena. Gli piacevano le donne, tutte le donne, e le fermava per strada, anche quelle più grandi, e le guardava in quel suo modo impertinente. Le donne gli piacevano, e molto.

E lui piaceva a loro. Era un bel ragazzo da giovane. Il più bello del paese. E anche il più *barroso*, però. Non gli faceva paura niente. E se c'era una femmina potevi essere sicuro che c'era anche lui dietro, anche se davanti magari c'era un fidanzato o un marito geloso. Anch'io ero bellino, ma non come lui. E poi io ero timido. Preferivo leggere i libri di anatomia di babbo quando lui prendeva e se ne scendeva a Senorbì a importunare le ragazze. Tornava tardi la sera, spesso sbronzo. Una volta il padre l'aveva preso a colpi di bastone perché non era rientrato a casa a dormire. Ma lui niente. La notte dopo era di nuovo in giro. Si vedeva che gli stava stretta quella vita. Lui non ci voleva stare a marcire in mezzo alla terra, mi diceva. Lui voleva viaggiare, voleva vedere il mondo, voleva farla muovere sotto i suoi piedi quella terra, vederla ballare. Lui voleva vedere tutte le donne del mondo, e *farsi* tutte le donne del mondo, come mi ripeteva ridendo quando ci sdraiavamo sull'erba a guardare le nuvole. Gli piaceva anche parlare. E scrivere. Scriveva poesie. Poesie d'amore. In sardo e in italiano insieme. Ogni tanto me le cantava. Di me si fidava. Le ammaliava con le parole, le donne, oltre che con quello sguardo insolente, con quegli occhi neri di carbone e scintillanti di zolfo. Forse è per quello che ha deciso di andarsene a fare lo zingaro e di lasciare tutto qui: genitori, sorelle, terre e tutto il resto, me compreso, che ero il suo migliore amico. Forse è perché voleva fare come le nuvole che ci pas-

savano sopra la testa quando eravamo piccoli e noi
potevamo solo guardarle mentre si trasformavano in
carri e animali e visi di donna, e mentre il vento se
le portava via senza farle mai tornare uguali, senza
farle mai tornare indietro.

Nemici se n'era già fatti tanti qui a Silíus, e non solo
qui. Sin da bambino. Tutti quelli a cui aveva rubato
la fidanzata. E tutte le fidanzate che aveva rubato e
poi abbandonato. Forse solo io gli ero rimasto amico,
prima che decidesse di andarsene. A me non l'aveva
mai rubata la donna. Ma io donne non ne avevo mai
avute. Io mi accontentavo di guardare quelle delle
riviste che leggeva mamma. Mia moglie, buonanima,
l'ho conosciuta giù a Cagliari quando ho iniziato il
tirocinio all'ospedale civile, ma ero già grande. Con
Antonio ci siamo persi di vista quando lui se n'è
andato da Silíus per fare il ramaio. Non è più venuto
a cercarmi, e io non ho più cercato lui. Ma me lo sentivo che prima o poi l'avrebbe fatto. Mi ricordo ancora come guardava Luisu, l'ambulante che passava in
paese ogni mercoledì con il suo carro luccicante di
rame. Gli puntava addosso gli occhi da appena im-
boccava la strada che portava alla piazza, e iniziava
a inseguirlo, urlando. E Luisu era sempre contento
di trovarselo dietro, e urlava anche lui, e chiamava
le donne per far vedere i tappeti nuovi e le pentole
con i disegni delle melagrane dorate, ed era tutto
un raccontare di storie di banditi e di carabinieri

scemi. Antonio gli stava appiccicato tutto il giorno, e lo ascoltava, e gli faceva domande, sul rame, sulle donne, sui banditi, e sui carabinieri scemi, e gli chiedeva di insegnargli a parlare quella lingua strana che non capiva nessuno, l'arbaresca, quella che usavano i ramai per capirsi tra di loro e per non farsi capire dagli altri. E Luisu se lo portava sul suo carro e gliele insegnava quelle parole e quelle frasi strane, e gli diceva anche come si modellava il rame col ferro e col fuoco e come si trattava con le donne, come si trattava di affari e di altro. E gli raccontava un sacco di storie. Di quel bandito del nuorese che quando era diventato anziano aveva deciso di rimettersi in groppa al suo cavallo, con un sacchetto di stoffa legato ai pantaloni, pieno di monete d'oro che aveva accumulato negli anni, ed era andato in giro per tutta la Sardegna cercando le persone a cui li aveva rubati quei soldi, per restituirli, a loro o ai loro figli e nipoti. E di come aveva preso in giro i carabinieri quella volta, gli raccontava, di come li aveva presi in giro per coprire un suo amico bandito che una notte era rimasto nascosto sotto la tela del suo carro perché doveva raggiungere la sua bella che abitava in un paese lontano. E di quell'altra volta, gli raccontava, di quella volta che lui, Luisu in persona e senza vestiti, era stato scoperto a letto con la moglie di quel tale, colonnello a Baunei, e di come alla fine gli aveva venduto le pentole a lui, al colonnello di Baunei, a lui e ai suoi colleghi gendarmi, le pentole con anche i coperchi di rame. Per questo io me lo aspettavo che prima o poi Antonio se ne sarebbe andato da Silíus e che non ci sarebbe più tornato qui. Anch'io me ne sono andato. Per studiare all'università. Medicina. E mi sono fatto una famiglia a Cagliari. Ma io ci sono tornato qui a Silíus. Per invecchiare tranquillo guardandomi i campi e le nuvole, come quando eravamo bambini. Ho avuto una vita felice, io. Non posso certo lamentarmi. Mia moglie era una donna santa, e sapeva ascoltarmi, e mi capiva. Anche i miei figli non mi hanno mai dato pensieri. A mia moglie alla fine gliel'avevo raccontato di quella notte. Le avevo detto tutto: delle carte, dei soldi, dell'alcol che scorreva a fiumi dentro i bicchieri, e anche che c'erano donne che si vendevano in quella casa piena di fumo.

Dopo quella notte non l'ho più rivisto. Ma forse avrei preferito non vederlo neanche quella notte. Avrei preferito ricordarlo com'era prima. E anche quella notte, forse, avrei preferito non averla mai vissuta. Insieme a tutto quanto quell'incubo, a tutta quanta intera quella giornata che non sono mai riuscito a dimenticarmi e che mi perseguita ancora. Ogni tanto ci ripenso ad Antonio. Di notte. Quando mi sveglio. Forse lo sogno, e quando riapro gli occhi me lo rivedo davanti con quella faccia allampanata con il bicchiere in mano e il sigaro in bocca, che soffia e butta giù una doppia coppia e nel frattempo mi bisbiglia qualcosa che non riesco a capire, poi chiudo

gli occhi ed è di nuovo giovane e bello e ha il bastone in mano e sta ingaggiando una lotta contro una
vipera. Alla fine, quando provo a riaprire gli occhi
per cercare di cacciare via i ricordi, finisce sempre
che rivedo anche quel bambino, quello di otto mesi,
il suo corpicino che si contorce come quello della
vipera che prova a sferrare disperata l'ultimo attac-
co prima di soccombere. E un attimo dopo rivedo
anche gli occhi azzurri e liquidi di quella mamma,
le sue lacrime gentili ma profonde, il suo silenzio as-
sordante. E quando ci penso non riesco a riprendere
sonno, anche se di bambini morti, dopo quel giorno,
ne ho visti altri in ospedale, e non pochi, e anche di
mamme disperate per non poterli più rivedere.

Teresina Spanu

Il quartiere non è mai stato tranquillo. Anzi, ringraziando il cielo adesso non sparano più. Ma dovevi vederlo negli anni '80. Oggi al massimo devi stare attenta quando porti il cane fuori perché lasciano i pitbull o i dogo argentini senza guinzaglio. Ce li hai presenti i dogo argentini? Ce n'è uno grosso grosso bianco che gira sempre nel palazzo qui dietro, l'unico che non hanno ancora ripitturato, il nostro l'hanno fatto l'anno scorso, sempre di verde come prima, ma sta già cadendo a pezzi di nuovo. I peggiori però sono i pitbull, devi vedere come hanno conciato il cagnolino di signor Pala l'altro giorno: anche il collare si sono mangiati, brutti bastardi.

Droga ce n'è sempre stata qui, pure adesso, anche se non si vede più, non ci sono più le siringhe per terra ora, ne usano altra di droga. Ma quei macchinoni con le targhe straniere mica te li regalano se non lavori.

Maria abitava sopra di me, al quarto piano. Ogni tanto salivo da lei e ci bevevamo un tè o una camomilla. I figli ce li aveva tutti in collegio, tranne la più piccola. Maria stava già lì quando sono arrivata io. A lei le avevano assegnato la casa come a tutti quelli che venivano dall'Ausonia. L'Ausonia era al Poetto, vicino al mare, dove adesso ci sono le ville, in quella zona lì. Io sono arrivata qui a San Michele dopo *ched'era* morta la vecchietta che abitava in questa casa. E cosa dovevo fare? Figli ne avevo già quattro e uno dentro la pancia, mio marito non aveva lavoro, e neanche una casa avevamo più dopo che i genitori di Tuccio ci avevano *bogato de malas maneras* perché lui usciva tutte le mattine per cercare lavoro e tornava tutte le notti cantando sbronzo e senza lavoro e mi metteva incinta un anno sì e l'altro anche. L'unico era sfondare la porta col buio, che tanto quelli della polizia una volta *ched'eri* dentro ed eri anche *pringia* non ti mandavano via.

Che la casa era libera ce l'aveva detto una nostra parente che abitava qui dietro e che conosceva zia Peppina. Zia Peppina era la vecchia che abitava qui prima di me, c'ho anche una foto se la vuoi vedere, era nel mobile verde dell'ingressino, c'erano ancora tutte le sue cose qui quando siamo entrati. Me la ricordo bene quella notte, e chi se la può dimenticare? Non avevo chiuso occhio. E il giorno dopo, dovevi vedere cosa c'era in questa casa. *Mischina*, zia Peppina, si vedeva che non aveva nessuno e che la casa non gliela pulivano da anni. Macchie di muffa sui muri, le mattonelle tutte bucate. E non ti dico la puzza, poi. C'erano ancora i suoi vestiti sopra le sedie, le gonne plissettate tutte *incirdinite*, gli scialli di lana neri mangiati dalle tarme, le calze da notte bucate, e poi i cucchiai e le forchette, tutti *appoddati*, ancora dentro il lavandino.

Tuccio era bellino quando l'ho conosciuto, magrolino, alto, con i capelli lunghi lunghi, con quella giacca marrone e la cravatta blu, poi, sembrava un figurino. Chi lo immaginava come andava a finire quando mi ha chiesto di ballare quel pomeriggio in piazzetta e io gli ho appoggiato la testa sulla camicia a quadri che odorava di sapone e ci siamo messi insieme, chi lo immaginava che poi ci sposavamo e avevamo otto figli e lui perdeva tutti i capelli e gli veniva fuori una pancia enorme a furia di bere birra e non lavorare e finivamo a vivere qui, e chi lo immaginava che poi un giorno moriva nel sonno e mi lasciava vedova e io restavo da sola in questa casa come zia Peppina?

Maria è stata come una sorella maggiore per me. Dal primo giorno che l'ho vista. Le ho anche cresimato l'ultima figlia. Io ne avevo altri sette di fratelli, ma tutti maschi, *ta dannu*. Figli ne ho avuti otto, anche io come mia mamma, più mio marito, *po caridadi*, che uno più *sganito* e *mandroni* non mi poteva capitare. Maria non lo so se aveva fratelli, non me l'ha mai detto. Parlava poco del suo passato e io non le ho mai chiesto niente, anche perché tanto quando ci provavo cambiava sempre discorso. So che veniva da Ísili perché un giorno *ched'ero* a casa sua le è caduto un disegno dal cassetto e l'ho raccolto io e le ho chiesto chi l'aveva fatto. Dovevi vedere quanto era bello quel disegno, me lo ricordo ancora: c'era un cavallo nero che sembrava vero e un carro grande con un telo che lo ricopriva e dentro e fuori pentole di rame e tappeti e vicino al cavallo nero c'era un uomo che sembrava Gesù Cristo tanto era bello, nero come il cavallo e muscoloso, con una frusta in mano, sembrava che ti voleva frugare negli occhi. Era di Maria il disegno, di quando era piccola, e chi lo poteva immaginare che sapeva disegnare così bene? E l'uomo con la frusta in mano era un amico di famiglia di quando abitava a Ísili, così mi aveva detto e così ti dico, uno di quei ramai che andavano in giro per i paesi a vendere le pentole e i tappeti. Le avevo chiesto di fare un disegno anche a me, ma non me l'ha mai fatto. Diceva che aveva smesso quando era venuta a Cagliari e che non le piaceva più disegnare. Però facevamo i dolci insieme per Natale, le ciambelline a forma di stella con la marmellata dentro o i cardinali con il chermes e la crema. Mia madre i dolci invece preferiva farli con le sorelle quando ero ancora a casa di babbo, e io ne soffrivo, e mi chiudevo in camera a piangere, e mi tappavo le orecchie con le mani per non sentire il casino che facevano i miei fratelli, Fisietto più di tutti, *ched'è* quello che mi faceva anche gli scherzi e non l'ho mai sopportato perché non smetteva mai di gridare e si sporcava tutto di terra e aveva sempre le ginocchia piene di sangue e di croste, e me lo dovevo subire sempre io e lavarlo anche. In terza elementare ho dovuto lasciare la scuola, ma mi piaceva studiare. Le tabelline mi piacevano, quattro per otto trentasei, me le ricordo ancora.

Maria parlava bene, mica come me che ogni tanto mi esce qualche *sciollorio* in dialetto, ma tanto si capisce lo stesso. Se la vedevi per strada quando andava in viale Merello o in via Cagna a fare le pulizie nelle case delle famiglie ricche la scambiavi per una signora, mica lo capivi che stava andando a *zeraccare*. Aveva pochi vestiti ma se li teneva sempre puliti e profumati, e poi dovevi vedere come muoveva le mani, con eleganza le muoveva, mani da principessa erano quelle, mica come le mie che lo vedi che sono mani da *zeracca*. A casa di mia mamma lavavo tutto io: i piatti incrostati di sugo, roba pisciata dei miei fratelli più piccoli, le mutande gialle di babbo, le mie, le tute sporche di grasso, i reggiseni enormi di mamma. Mia madre non si accorgeva di niente. Otto figli vivi e tre morti, ha smesso di avere le mestruazioni a trentacinque anni, che il Signore l'abbia in gloria, non si rendeva conto nemmeno se un figlio tornava a casa vivo la notte oppure no, figurati se vedeva le macchie di caffellatte sulla tovaglia o le briciole di pane per terra. Io schifavo tutto e mi mettevo a pulire ogni cosa. A mia madre non è mai interessato avere la casa pulita. Andava con le sorelle al rosario ogni volta che poteva, anche se la casa era piena di merda. Babbo preferiva così. Per salvarle la testa, diceva. Questa casa non aveva la porta i primi tempi, c'era solo una tenda. Poi quando hanno messo la porta, c'era la chiave sempre nella toppa, fuori, per fare entrare tutti. A Tuccio piaceva così, e tanto con lui era inutile parlarci, aveva sempre ragione. Meno male che ho conosciuto Maria, altrimenti mi impiccavo. E non che non c'aveva i suoi di problemi lei. Sergio, il marito, l'avevano anche messo in galera qualche anno dopo *ched'eravamo* arrivati noi, a Buoncammino l'avevano messo, ma c'è rimasto solo qualche mese e poi l'hanno fatto uscire. Gli avevano trovato droga addosso i carabinieri. Per uno di San Michele era normale. Ma Maria diceva che Sergio non le faceva certe cose. Io ti posso dire che non ci metto la mano sul fuoco. Era sempre ubriaco quando è tornato dalla prigione. Si dava la mano con Tuccio. Ogni sera li sentivi salire le scale cantando, due scemi sembravano quando erano in buona, due diavoli tutte le altre volte che rientravano a casa a parolacce sbattendo tutto a destra e a sinistra. E poi Sergio quando era ubriaco faceva tutti quei discorsi strani, sulla Sardegna, sulle rivoluzioni, almeno Tuccio parlava solo del Cagliari, e guai a chi gli toccava Gigi Riva, ma almeno lo capivo, quell'altro non ci capivi niente di quello che diceva. Io di politica non ne so. E non vado neanche più a votare. Tutti ladri sono. L'ultima volta che ho votato è perché avevano promesso un lavoro di usciere a Tuccio alla Regione, ma poi non sono entrati quelli di quel partito e Tuccio è rimasto senza fare niente come al solito. Promesse, promesse e poi mangiano sempre gli stessi. Fate bene voi giovani ad andarvene in continente. Lì sì che c'è lavoro, mica come qui *ched'è* sempre peggio. Figli vivi me ne sono rimasti solo tre e tutti fuori se ne sono andati, vicino a Milano, e chi li sente più. La fine di zia Peppina faccio. Dev'essere questa casa scomunicata.

Anche Maria aveva figli. Quattro ne aveva. Tre erano grandi e li ho visti poco a casa. La piccolina l'ho cresimata io, Anna, *mischinedda*, è morta di tumore qualche anno dopo *ched'è* morta la mamma. Sono andata a trovarla all'oncologico e nemmeno la riconoscevo se non sapevo *ched'era* lei. Mi manca Maria. Ogni tanto mi sembra di parlarci ancora. A volte, se vedo quella ragazza della telenovela che mi piace, me la sogno anche a Maria. Anche lei aveva sempre una parola di conforto, pure quando piangeva. E piangeva molto Maria, spesso anche senza motivo. Mi ricordo quel giorno che sono entrata a casa sua e l'ho trovata seduta sul letto con la faccia tutta bagnata, aveva un fazzoletto in mano, la casa era tutta bella pulita come sempre, con il sole che entrava dalla finestra, me lo ricordo bene, c'era una luce che faceva brillare la carta da parati in tutta la stanza, è quel giorno che poi le è caduto il disegno, quello del cavallo nero e di quell'uomo che sembrava Gesù Cristo, era a singhiozzi Maria, e io non sapevo cosa dirle. Tanto se le chiedevi perché, ti diceva sempre che non era importante, che come le era venuto le passava. Ma le dovevi vedere gli occhi: azzurri azzurri, e quando le rimanevano le lacrime sulle ciglia erano anche più belli. Quando piangevo io, mi accarezzava il viso e mi consolava. Neanche mia mamma l'ha mai fatto. A mia mamma non gliene è mai fregato niente di me, e nemmeno dei miei figli. Non l'hanno neanche conosciuta la nonna i miei figli. Ma anche loro mi hanno lasciata sola. Sola come un cane sono rimasta, che se non avevo trovato per strada *custu callelleddu* non parlavo più con nessuno. Ne avrò lavate di scale per crescere i miei figli. E poi loro se ne sono andati via e neanche grazie mi hanno detto. *Vai e cerca* che cosa gli ho fatto per meritarmelo.

Una volta ho sentito Sergio che le urlava «puttana» e le diceva che i suoi figli non li voleva, che li poteva tenere in collegio e darli a chi voleva, che a lui solo di Anna gli importava, che gli altri non erano roba sua. Era ubriaco come al solito Sergio, e quando era ubriaco diceva un sacco di *sciollori*, anche sulla politica, ma qualcosa di vero doveva esserci se ci penso bene. Anna era uguale al babbo, magrolina, curva e con gli occhietti piccoli piccoli, la figlia più grande era tutta la mamma tranne gli occhi *ched'erano* scuri, ma gli altri due, i maschi, non gli assomigliavi a nessuno, né a *su babbu* né a *sa mamma*, erano alti alti e avevano due spalle giganti.

A me Maria non mi ha mai raccontato niente, ma anche se l'aveva fatto non stavo qui a dirlo in giro. Puttana non era, questo già te lo posso dire di sicuro e te lo posso giurare sui miei figli. Tutte come lei le mogli si volevano. Si spaccava la schiena per portare a casa i soldi che non portava il marito e per dare da mangiare ai figli e farli studiare, come me. Gli altri uomini non li vedeva nemmeno. Ma a lei già se la mangiavano con lo sguardo anche i ragazzini. Mio figlio più grande si metteva sempre vicino al corrimano delle scale per guardarle sotto la gonna quando saliva con la busta della spesa e poi si chiudeva a chiave in bagno lo sa lui a fare che cosa. Era una bella donna, sembrava una diva del cinema, come quelle dei fotoromanzi, mica come la *gentixedda* che si vedeva qui in giro, che la maggior parte erano *bastascie* di nascita come me. Mai che la sentivi *frastimare* o parlare male di qualcuno. Anche la roba se la stendeva nascosta in veranda per non farla vedere a nessuno e in veranda aveva anche un sacco di vasi con tutti i fiori: troppo bellini.

La casa era uguale alla mia: due stanze piccoline, un cucinino e il bagnetto. Ma lei si era attaccata la carta da parati per farla più bella. Era color crema e dovevi vedere che carini tutti quei ghirigori quando ci entrava il sole. Faceva piacere passarci sopra la mano, ruvida ruvida com'era. Io non sono portata per queste cose, per i fiori, per la carta da parati. Anche troppo che costringevo a Tuccio a pitturare di bianco quando usciva la muffa ed ero stanca morta a furia di passarci varechina.

Qui dietro prima c'erano anche le scuole. I miei figli ci andavano da soli, neanche mi affacciavo per guardarli. Anche Anna, la figlia più piccola di Maria, le ha fatte lì le elementari e le medie. Gli altri tre ce li aveva in collegio a Genoni, mi pare. Per le feste se li riportava a casa, ma quando si sono fatti grandi non si sono più visti qui. Adesso ci hanno fatto altre case comunali al posto della scuola. Già era brutto prima il quartiere, adesso è anche più brutto. Meno male che c'è la figlia di signora Manca che ha messo qualche fiore qui sotto e che se lo innaffia, altrimenti solo cemento e *merdone* c'erano. Qui si fa vedere qualcuno solo prima delle elezioni, a pagarti una bolletta o a regalarti una busta di spesa per avere in cambio una croce su un foglio, poi spariscono tutti, e San Michele se lo dimenticano, come a noi vecchi.

A Ísili non ci ero mai andata. Ci sono stata qualche anno fa, in una di quelle gite dove ti vendono le pentole. Mi piacciono queste gite, ce n'è una anche tra poco, ci portano a Monteponi, a vedere le miniere. Magari incontro anche uno ricco e vedovo, e mi sposo di nuovo, e faccio la signora, questa volta. La corriera è sempre piena di gente come me, tutti soli e vecchi, almeno prendo un po' d'aria e mi distraggo, e poi se vedi come cucinano bene queste pentole. Bellina Ísili, anche se mi è venuta un po' di *gana mala* dopo Mandas, con tutte quelle curve. Ho pensato a Maria quando ci hanno portati al museo. C'era un carro uguale uguale a quello del suo disegno. Allora ho chiesto in piazza se qualcuno conosceva Maria Piga, ma mi hanno detto che di Piga in paese non ce n'erano mai stati, che non era una famiglia di Ísili. Poi una signora che aveva voglia di chiacchierare mi ha detto che forse una c'era ancora, una vedova che faceva Piga da signorina e che abitava da sola in una casa grande grande al centro, una che aveva perso il marito quando era giovane e usciva di casa solo per andare a messa e per preparare il pranzo e la cena al parroco, e che tanti anni fa giravano storie strane sulla famiglia di questa vedova che prima faceva Piga e che poi aveva fatto Lorrài di cognome, tipo che la mamma si era buttata dal belvedere del paese perché l'altra figlia era scappata di casa con uno zingaro, cose così, poi non se n'è più parlato e nessuno ha saputo più niente. Chissà se erano parenti con la mia di Piga, di Maria dico. Io col cavolo che me ne andavo via da Ísili, però, se ero in lei. Altro che Cagliari: aria buona, fresco, verde, alberi di tutti i tipi, giardinetti con i giochi, un nuraghe vero, le *domus de janas*, odore di caminetto, uccelli che cantano, mica come qui a San Michele che c'è fisso odore di fogna e non vedi nemmeno di che colore è il cielo e senti il casino delle macchine che sgommano e dei camion dell'immondezza dalla mattina presto. *Vai e cerca* chi gliel'ha fatto fare a Maria a venire a mettersi in prigione qui a Cagliari. Ma meno male *ched'è* venuta, se no non ci conoscevamo nemmeno e io non lo so proprio come facevo. Quando stavo male cucinava lei per noi. Scendeva le scale con la zuppiera piena di pastasciutta. Qualche giorno facevo finta di stare male apposta perché il sugo come lo faceva lei io non ci sono mai riuscita a farlo. Secondo me ci metteva zucchero e alloro insieme al basilico e al sale, ma non me l'ha mai detto. Io ci ho provato a metterceli, un sacco di volte, ma mai che mi usciva uguale al suo. Ogni tanto me lo sogno il sugo buono di Maria, e anche Maria mi sogno. Me la sogno che mi accarezza il viso e mi dice di non aver paura, che lassù dove è lei i tormenti te li rimborsano con gli interessi e che diventiamo ricche io e lei e ci possiamo prendere tutti i tè che vogliamo in santa pace, senza paura che tornino Tuccio e Sergio *bevuti*, anche dentro le tazze di porcellana ce lo possiamo prendere il tè, quelle inglesi con il manico di oro zecchino e tutti i fiori colorati dipinti sopra, e ci possiamo prendere anche le tisane con le zollette di zucchero, e fare la vita da signore lassù, senza spaccarci il collo a *zeraccare* dalla mattina alla sera. A volte me la sogno che mi sveglia di notte e mi dice *ched'è* arrivata l'ora e di mettermi il vestito buono, e che me lo fa un disegno, anche a me, e che mi fa ballare come in quel programma che danno alla televisione, e io mi metto un abito da signora tutto a fru fru coi brillantini come quella presentatrice che *sta fisso ridendo*, e c'è anche quello bello come Gesù Cristo nel sogno ma senza il carro e senza il cavallo, solo io e lui, e mi fa girare che sembro una ballerina e me lo mangio con gli occhi e sono bella anch'io come Maria e muovo le mani come lei e sembro una principessa.

Sergio Desogus

Maria è morta. Io sto per morire. Cos'altro dovrei dirti? Sono bravo a sintetizzare. Ero bravo anche a scuola a fare i riassunti. Me lo diceva sempre il mio maestro di Ulàssai, che poi non ho mai capito perché da Ulàssai se ne sia venuto a Cagliari a insegnare, e in una scuola merdosa come quella dove andavo io per di più. In periferia, dove c'era solo gente che non aveva voglia di studiare. Ma possono votare anche loro. Anche quelli che non sanno nemmeno cos'è la democrazia votano. Una testa, un voto. Dell'Italia non me ne sbatte niente, non me n'è mai sbattuto niente. E neanche della Sardegna, se proprio vuoi saperlo, non me ne sbatte più nulla.

Sì, Maria era mia moglie. Così dicono. Io ti dico che abbiamo anche fatto una figlia insieme. È morta anche lei. Tutti dobbiamo morire prima o poi. Nostra figlia è morta di cancro in ospedale. Io sto morendo di cancro. In ospedale anch'io. Brutto morire in ospedale. Non posso nemmeno più fumare qui dentro. Le sigarette le fumavo senza filtro, molte ne fumavo, tre o quattro pacchetti al giorno, Alfa, quelle bianche e rosse. Le fumavo quando ero nervoso. Ero molto nervoso quando ero giovane. Anche birra ne bevevo molta, solo Ichnusa però. Anche quella quando ero nervoso. No, la birra non c'entra. Sì, è vero, ho alzato un po' il gomito ogni tanto. Ma non sono mai stato violento. Chi lo dice è perché non mi ha conosciuto bene. Non ho mai alzato un dito contro nessuno. Non l'ho fatto contro lo Stato, figurati se potevo farlo contro mia moglie. La storia della galera? Quella è acqua passata. Un incidente capita a tutti. La droga? Mai vista. Amici che si bucavano? Molti. Ma io droga non ne ho mai vista. Solo le siringhe per terra. Prima era pieno, a San Michele soprattutto. E si riempirà di nuovo, vedrai. Cos'altro vuoi che faccia chi sa di non avere futuro? Come altro puoi uscire da quelle gabbie di cemento se nessuno ti ascolta e hanno tutti paura di te? Ah, ma la Sardegna non è cambiata molto. La gente, i politici intendo. Tutti a riempirsi la bocca di autonomismo, di indipendentismo, e poi quando c'è da farlo davvero si dividono e scappano tutti a Roma, a nascondersi, chi a destra e chi a sinistra. Almeno io a Roma non ci sono andato a leccare il culo a qualche onorevole. Sono andato a Buoncammino, io. Senza voti. Con un calcio nel sedere mi ci hanno mandato in galera. «Detenzione di droga.» Ma quale droga? Anarchia si chiamava a casa mia. Sardegna libera. Ma per quei quattro assessori burattini di Roma era droga. E mi hanno fatto la festa. Al mio amico Tore è andata anche peggio: a Villa Clara è finito, quando era ancora aperta e ci chiudevano dentro i matti. Per pazzo l'hanno fatto passare, perché voleva fare la rivoluzione e trasformare i poveri in ricchi, come me. Solo che lui a un certo punto aveva iniziato a raccogliere reperti archeologici in giro per i boschi perché voleva lasciarli in dono al suo paese, a Barrali, e visto che non riuscivano a fermarlo in altro modo hanno inventato la storia della pazzia, e dato che lui era orfano e senza moglie e non aveva nessuno che potesse aiutarlo sono riusciti senza problemi a far credere che dovesse essere internato, perché uno che raccoglie bronzetti ossidati e monete vecchie e sporche di sterco di cinghiale e pietre piene di muschio nei boschi tanto normale non deve proprio essere, e se poi si mette anche a rompere le scatole volendo sovvertire la repubblica e urlando fuori dal palazzo della Regione e tirando uova all'assessore Pani e importunando i suoi portaborse e uscendo la sera con la sua segretaria, poi finisce davvero che ti portano a Villa Clara e ci rimani fino alle prossime elezioni. Meglio dentro una cella, però, che in una gabbia per matti dove pazzo diventi davvero a furia di rimanere con le braccia legate da una camicia di forza. Io almeno le mani le avevo libere. Anche se non mi andava più di muoverle. Me ne stavo tutto il giorno a fissare il soffitto, mi immaginavo figure strane e ogni volta diverse che si formavano nel bianco di quelle pareti, tra le crepe e l'umido che le attraversavano. Mi immaginavo mani forti che mi stringevano il collo o pugni chiusi che mi ferivano il viso.

Tutte le sere, prima che facesse buio, Maria veniva sopra la collinetta che c'è di fronte al carcere per farmi vedere Anna da lontano. La portava là sopra a giocare con la fune o la palla. Lo faceva per me. Alla bambina non gliel'aveva detto che il papà stava dietro quelle finestre sbarrate a guardarla, che era in prigione. Le aveva detto che ero partito per lavoro e che sarei tornato presto da loro. Vederle, però, mi faceva ancora più male. E dopo qualche giorno ho smesso di affacciarmi. Sentivo la voce di mia figlia che rideva, ma non riuscivo più a ridere io. Avevo una rabbia enorme che mi esplodeva dentro, che mi annullava. Non sto qui a raccontarti tutto quello che ho visto in quel posto e cosa mi hanno fatto. Non ho voglia di ricordare cose che non servono a niente. Che vada in malora la Sardegna, tanto è terra di servi. Ci hanno conquistato tutti. Tutti ci hanno dominato. Ah, sì, però il Cagliari ha vinto uno scudetto. Be', il calcio è importante in Italia. Ma lo vuoi proprio sapere? È stato l'inizio della fine. Per la Sardegna tutta. Proprio da quello scudetto è cominciata. Almeno prima eravamo padroni in casa nostra, anche se dal continente dicevano che eravamo solo pecorai e banditi. Ma dopo che il Cagliari ha vinto quello scudetto hanno finito di colonizzarci per bene, avevano già inventato la Costa Smeralda e gli alberghi di lusso e le spiagge tutte uguali, e avevano anche già pensato bene di avvelenare la nostra terra con il fumo delle ciminiere, e poi le hanno richiuse tutte e ci hanno lasciato senza lavoro e senza più terreni da coltivare, e neanche le pecore adesso sappiamo più portare al pascolo, e non ci resterà che diventare davvero tutti banditi questa volta, se il mondo continua ad andare a rotoli come sta andando, sempre che ci ricorderemo ancora come si cavalca un cavallo senza la sella o come si usa una *leppa*.

Io non volevo stare al mondo soltanto perché c'è posto, ma ho finito per farlo. Io ci ho provato a cambiare le cose, adesso però non me ne frega più niente. Fanno bene quelli bravi ad andarsene. Tanto qui se vali non vai da nessuna parte. Me ne sarei andato via anch'io. Con Maria me ne sarei andato. In Spagna magari. O in qualche piccolo isolotto della Grecia. O in Africa anche, a Tunisi o ad Algeri. Quando eravamo ancora due ragazzini. Oh mamma, che poi lei aveva già tre figli quando l'ho conosciuta. Ma era ancora giovanissima, e bella, molto bella.

Non sono bravo a raccontare le storie, io. Ma alcune cose me le ricordo ancora bene, mi ricordo che la prima volta che l'ho vista è stato quando è arrivata all'Ausonia. Io ero proprio un pischellino, sbarbato e con gli occhiali grossi, un po' troppo timido anche, stavo sempre leggendo. Lei era più grande di me, ma poco, e sembrava già una donna, nonostante l'età. Il primo passo l'ho fatto io, però. Avevo il cuore che mi batteva forte forte, e le mani sudate, mi ricordo:

era luglio, un luglio umido, all'Ausonia, di fronte alla spiaggia del Poetto. Mi sono seduto vicino a lei, fuori dal casermone, vicino al muretto, e abbiamo iniziato a parlare. Aveva un bel profumo, di pulito, un vestitino carino, e parlava bene, non era sguaiata e volgare come le altre. Le ho raccontato perché ero finito lì, dei miei genitori che erano morti, lei mi ha raccontato dei suoi, mi ha parlato di Ísili, dove era nata, e dei figli che aveva, le ho detto dei libri che leggevo, mi ha detto che le piaceva scrivere. Ci siamo visti altre volte, dopo, seduti sopra quello stesso muretto o alla mensa dei poveri o alla fermata del tram. Io mi ero già innamorato, poi ho conosciuto anche i suoi figli, e le ho chiesto se voleva sposarmi. Aveva un'eleganza che non saprei dirti. Come le descrizioni nei romanzi della Deledda, se hai presente. Mi piaceva leggerli quando ero giovane i romanzi di Grazia Deledda. Li ho letti tutti. Poi ho smesso di leggerli. Ho smesso di leggere qualsiasi cosa. Neanche il giornale leggevo più. Tutte bugie tanto, sia nei romanzi che nei giornali.

Mi sono comportato male con Maria, anche con i suoi figli mi sono comportato male. Non so dove siano adesso. Non li ho più rivisti. Credo che siano tutti in continente. Non so se sono ancora vivi. Io mi ricordo bene solo della più grande, Rosaria. Era una bambina curiosa, le piaceva stare zitta e guardare il mare. L'ho vista poco però. Erano tutti in collegio, a Genoni e a Mandas, dalle suore. Avevamo pochi soldi, non potevamo permetterci di tenerli a casa. La casa era piccola, e umida, più che una casa era una stanza, una stanza dove ti mancava l'aria anche d'inverno. Poi ci hanno mandato a San Michele, in via Podgora. Siamo stati bene all'inizio. Io lavoravo, lei anche. Ho riconosciuto i suoi figli, quelli che aveva avuto con Antonio Lorrài, gli ho dato il mio cognome. Abbiamo fatto una figlia, anche. Maria mi sembrava felice, anche se ogni tanto la sentivo piangere, soprattutto di notte, quando facevo finta di dormire. Non aveva amiche. Era molto riservata, si faceva i fatti suoi. L'unica con cui aveva preso un po' di confidenza in quartiere era Teresina, la moglie di Tuccio. Sono arrivati dopo di noi, stavano al piano di sotto. Si prendevano un tè insieme ogni tanto. Parlavano di cose da donne, credo. Per le feste stavamo tutti assieme, Maria e Teresina preparavano i dolci. Era bello. È durato poco, però. C'è stata quella faccenda della galera, poi. E dopo che sono uscito di prigione ero molto nervoso, è vero, molto. Forse bevevo anche troppo. Birra, ma non solo. Sì, con Maria mi sono comportato male, molto male, è vero. Uscivo tutte le sere con Tuccio, il nostro vicino di casa. Andavamo al bar a bere. Quando non uscivo me ne stavo a letto, a guardare il soffitto, come quando ero in cella. Non avevo più voglia di vivere. Non avevo lavoro. Non riuscivo a trovarne. Nessuno me ne offriva più di lavoro, perché ero stato in galera. La trattavo male. Mi dava fastidio ogni cosa. Non sopportavo quel suo andare avanti comunque, anche contro il mio odio. Spegnevo le mie sigarette sui gerani rossi e le ortensie che aveva messo in veranda, volevo farli morire, ma lei riusciva sempre a curarli. Rovesciavo i piatti, rompevo i bicchieri, la obbligavo a pulire. Le dicevo parolacce, anche. Gliele urlavo per farmi sentire da tutti. Le strillavo «puttana» quando ero ubriaco e salivo le scale aggrappandomi per non cadere. Ero geloso, molto geloso. Ma geloso di cosa? Maria era una brava moglie, lo so. L'ho fatta tribolare, altroché. È colpa mia se i figli se ne sono andati via. Ero io che non li volevo più. Non erano miei quei figli. Ma io l'avevo amata, Maria. Quei figli erano di Antonio Lorrài. Lo so che Maria non aveva mai smesso di amarlo quell'uomo. Ma io cosa ci potevo fare? Lo sapeva che non potevo essere lui. Io ci ho provato a essere un bravo marito, e anche un bravo padre, ma non ci sono riuscito. Della sorella so poco e niente. So che si chiamava Evelina e che viveva a Ísili. Maria le scriveva delle lettere, ma da lei non ne ha mai ricevute. Non so come mai. A Maria non piaceva parlare del suo passato.

I soldi a casa li portava mia moglie, poverina, spaccandosi la schiena lavando le scale o gli appartamenti di medici e avvocati della Cagliari bene, e di notte ultimamente si metteva a rammendare calze per una merceria di via Baylle, per arrotondare. Ma non ci bastavano mai i soldi. Lei guadagnava e io spendevo, tutto spendevo, al bar o comprandomi sigarette. Non se lo meritava Maria di essere trattata così, lo so. Se potessi tornare indietro, vorrei avere la forza di non rifare certi errori. Gli ideali? Che andassero a farsi fottere gli ideali. Della famiglia mi sarei dovuto curare, di Maria e dei suoi figli, e non della Sardegna, di cui non frega niente a nessuno, neanche ai sardi. Tanto così lo stesso sarebbe andata a finire la Sardegna. Ma magari la mia famiglia no, la mia famiglia magari avrebbe vissuto felice, e anche io, invece di farmi rinchiudere in prigione e di diventare un ubriacone che tratta la moglie da puttana e manda via di casa i figli.

Di Antonio Lorrài so giusto le cose che mi ha raccontato Maria quando ci siamo conosciuti: che era il padre dei suoi figli so, e che prima faceva il ramaio, che avevano un negozio di alimentari in centro con un bel giro d'affari, ma che poi se lo sono mangiati i debiti il negozio e anche la casa di via Canelles dove abitavano, e che è morto a Orròli dopo essersene andato di casa. So anche che non erano sposati, ma Maria non mi ha mai detto perché. So che lo amava, quello lo avevo capito da subito, e non c'era bisogno che me lo dicesse, si vedeva e basta. È per quello che mi faceva uscire di testa. Perché anche io la amavo, ma lei amava Antonio Lorrài, anche se era morto, anche se l'aveva abbandonata, lei continuava ad amare Antonio Lorrài.

Quando si è ammalata Maria io non me ne sono accorto. Ero troppo impegnato a bere e a fumare.

La odiavo, forse. Come odiavo la Sardegna. La odiavo perché l'avevo amata tanto, ma lei non mi aveva amato. O almeno era quello che pensavo quando ero gonfio di birra. Ma ne pensavo di cose quando ero ubriaco, nemmeno me le ricordo tutte le cose che pensavo, e che dicevo. Sta di fatto che lei si è ammalata. E io non me ne sono accorto, non subito almeno. Ho continuato a trattarla male e a spendermi i soldi che portava a casa con fatica. Facevo finta di andare a pescare, le avevo anche detto che avevo trovato un lavoro al porto, ma non era vero, me ne andavo in giro a piedi per la città, con la sigaretta in bocca, arrivavo sino a Sant'Elia, e mi buttavo dentro il primo bar che trovavo. Poi mi hanno preso a lavorare in un distributore di benzina, ma con quei soldi non mi ci pagavo nemmeno le sigarette. Maria era sempre più stanca, forse lo vedevo che stava anche dimagrendo, ma lì per lì non ci pensavo, non ci facevo caso. Lei tornava a casa distrutta di sera tardi e io ero coricato a letto a guardare la televisione, fumando, e le gridavo di prepararmi la cena senza neanche salutarla, senza neanche aspettare che entrasse, e le urlavo che avevo fame e altre cose brutte che non sto neanche a ridire. Mi vergogno adesso, se ci penso. Nell'ultimo periodo aveva trovato un altro lavoretto, oltre alle pulizie, lo faceva di notte, dopo cena, quando io me ne uscivo per andare al bar, o il sabato e la domenica, quando io me ne stavo come uno scemo a giocare a biliardo e ad ascoltare le partite alla radio con Tuccio. Tornava a casa con bustoni di calze e ci perdeva la vista a rimagliarle una per una. Lo faceva per far studiare nostra figlia, diceva, perché non voleva perderla come gli altri, che se n'erano andati in continente e non si erano più sentiti.

Nostra figlia è morta qualche anno dopo la mamma, di cancro. Anch'io ho il cancro adesso. I medici dicono che potrei morire anche domani. Ma sono tranquillo. Quando è morta Maria l'ho maledetta, perché mi stava lasciando da solo. Avrei dovuto ringraziarla, invece, perché mi stava permettendo di non farle ancora del male, di non farle più male. Dopo che è morta ho smesso di bere, non so perché, ma ho smesso di bere, e ho anche ricominciato a leggere. Grazia Deledda, sempre. Quando leggo i suoi romanzi rivedo Maria, in tutti i personaggi, nei paesaggi, nei dialoghi. Mi sembra di vederla ancora qui, con i suoi modi signorili, garbati, quelle sue mani che si muovevano sempre come se dovessero suonare un pianoforte, quella sua pazienza, quel suo modo aggraziato di guardare le cose, le persone, anche quelle brutte, anche quelle perse come me. Forse è per quello che ho ripreso a leggere, perché voglio vedermela ancora qui, perché voglio tenerle la mano come facevo quando avevo la febbre e lei mi bagnava la fronte. Ma se dovessi ritrovarla dopo la morte le chiederei scusa a Maria, puoi giurarci, le chiederei scusa per tutto il male che le ho fatto, e le asciugherei le lacrime che sicuramente ha sul viso come quando se ne stava seduta sul letto a rammendare le calze con la luce gialla della lampadina a forma di candela accesa sul comodino, e le darei un bacio, un bacio leggero su quelle guance bagnate, come non ho fatto più da quando sono tornato dalla galera, e le regalerei un papavero, un papavero viola, dopo averlo cercato tra tanti, tutti rossi, perché so che era il suo fiore preferito, e le direi che non importa se non mi ha amato, perché l'ho amata io, e l'aiuterei a ritrovare il suo Antonio, morirei di nuovo al posto del suo Antonio per farlo rivivere, e morirei al posto suo anche, al posto di Maria, per farli rivivere insieme, lei e il suo Antonio. Ma lo so che dopo la morte non c'è niente. Lo so che gli errori che ho fatto non posso correggerli. E ti assicuro che mi fa male, più male di questo cancro che mi sta mangiando il fegato un poco ogni giorno. Mi fa male, dannatamente male, pensare che il tempo non torna indietro, che se hai sbagliato non puoi più rimediare. La morte è democratica, però. Muoio io e muori tu. Muoiono tutti, chi prima e chi dopo, ma alla fine muoiono tutti. Anche gli assessori muoiono. La Sardegna è già morta, fidati, è morta e non l'ha ancora capito. C'ha una metastasi più grande della mia, la Sardegna. Le rimane solo il nome, ma è morta già da tempo. È morta a Porto Torres, a Ottana, a Sarroch. È morta a Porto Cervo e a Quirra, la Sardegna. Un consiglio? Vattene finché sei in tempo. Sei giovane, carina, non hai nemmeno l'accento sardo, parli bene, ragioni bene. Non fare la fine mia.

Evelina Piga

Cara Maria,

ho perso il conto delle lettere incominciate e poi gettate nel camino. Forse questa volta andrà diversamente, oppure no. Scrivere, in ogni modo, aiuta, soprattutto alla mia età. Aiuta a non dimenticare. Ed è questo quello che voglio: che niente venga scordato.

All'inizio volevo che il tempo passasse in fretta per cancellare tutto, volevo essere dimenticata, dimenticare. Ma non ci riuscivo, non ci sono mai riuscita io a dimenticare. Poi, invece, ho desiderato che tutti sapessero, che quello che avevo subìto fosse sulla bocca di tutti, che venisse lapidata in piazza come la sua omonima, quella Maddalena che però, questa volta, non sarebbe stata salvata da nessuno. Ho desiderato che soffrisse come soffrivo io, ho desiderato che patisse la fame, la sete, che non trovasse dove andare, che fosse derisa e umiliata in ogni paese in cui si fosse rifugiata. E che lui la tradisse, ho desiderato, che la tradisse come aveva tradito me, allora sì che avrebbe capito come mi sentivo. Anche ora che ti scrivo sento che quella parte di me che ha provato tanto rancore non ha trovato pace. Raccontandoti i fatti di quegli anni e mettendo a posto le cose, solo allora, forse, dopo aver attraversato di nuovo tutto questo dolore, potrò lasciarmelo alle spalle e andare avanti.

Io non ho mai desiderato altro, da quando ero bambina: guardavo mia madre e pensavo che un giorno avrei avuto una famiglia tutta mia, dei figli, un marito e una casa da accudire, e sarei andata via da questa casa grande e fredda. Mia madre non era proprio «l'angelo del focolare». Stava tutto il giorno chiusa in camera, e quando passava del tempo con noi aveva lo sguardo assente, ripeteva gesti sempre uguali senza guardarci mai negli occhi o farci un sorriso. Io la casa la sapevo tenere, solo i primi tempi mi diceva lei quando era il momento di apparecchiare o di sparecchiare, poi ho imparato a fare da sola.

Una casa piccola, due o tre figli, un marito con un lavoro onesto, non chiedevo niente di più. «Amate le vostre mogli come Cristo ha amato la Chiesa», solo quello volevo. Andare a messa tutte le mattine e rendere lode al Signore per la grazia ricevuta, con il cuore in pace, con la serenità di aver adempiuto al mio dovere, con gioia. E invece quante lacrime sull'inginocchiatoio davanti a San Giuseppe, quante volte le mani giunte a pregare si contorcevano fino a farmi male, e le nocche bagnate premevano sulla fronte china fino a farla diventare viola.

Sono sempre stata in casa, a sognare a occhi aperti mentre lavavo le pentole, o rifacevo i letti, o mi ripete-

vo qualche verso del Vangelo, o guardavo Maria, tua nonna, che tesseva. A me il telaio non è mai piaciuto. Tutti quei fili da tenere sotto le dita, tutti quei numeri da tenere a mente per cambiare il colore del filo, la mia testa andava altrove. Ma io rimanevo sempre lì. I giovani di Ísili li conoscevo tutti, ma nessuno aveva mai provato a chiedermi in moglie. Non davo confidenza a nessuno, uscivo poco di casa, giusto per andare a messa o per fare qualche commissione veloce. Eppure non avrei rifiutato nessuno, neanche il figlio del fornaio, Ogu-trottu, come lo chiamavano qui in paese. Aveva un occhio strabico e non era certo bello, ma noi eravamo tra i pochi clienti assidui, e in fondo era forse l'unico ragazzo che vedevo così spesso e con cui c'era un po' di confidenza. Non che mi fermassi a parlare con lui, ma mi sorrideva quando mi dava il pane, e si sforzava di dirmi qualche parola in italiano e non in sardo, e a me quel sorriso e quelle due parole bastavano per rimanere a pensarci e a sognare tutto il giorno. Mi è sempre sembrato un segno di rispetto nei miei confronti, che il sardo non lo parlavo mai e lo capivo poco, quel suo tentativo di provare a dire qualcosa in una lingua che si vedeva che per lui era ancora straniera.

Anche Antonio Lorrài non parlava quasi mai il sardo, e quando lo faceva lo mischiava con l'italiano o con parole strane, e guardava con insistenza, ma non solo me, e a differenza di Ogu-trottu non mi sorrideva mai. Era bello però Antonio Lorrài. Sul *suo cavallo sembrava il principe delle favole. E che il cavallo fosse nero e non bianco non mi importava quando mi fissava in quel modo, e neanche che su di lui si dicessero tante cose brutte. Ho ricambiato il suo sguardo alla festa di Sant'Antonio di Fàdali, e quando mi ha detto che tra il chiasso della folla non riusciva a sentire quello che dicevo l'ho seguito. Pensavo solo di allontanarmi da quella confusione, dai fuochi d'artificio, dai balli rotondi e dalla fisarmonica che si apriva e chiudeva. Non c'era la luna e non vedevo nulla. Quando ho provato a parlare mi ha chiuso la bocca. All'inizio con un bacio violento, umido di vino e prepotente di barba ruvida. Ho respirato l'aria fresca della notte di quell'estate che stava appena iniziando, pensando che la luna sarebbe spuntata, di lì a poco, dietro le nuvole scure e gonfie di pioggia. In quei pochi secondi sapevo di aver già compromesso me stessa. Pensavo che quello gli sarebbe bastato. Era già molto più di quanto avessi mai fatto o anche solo pensato. Durò pochi minuti quell'atto, ma l'effetto non è ancora finito. La sua mano si sostituì alle labbra, quando provai a protestare, a urlare. Avevo paura, molta paura. Provai a liberarmi, a dargli calci, pugni, ma era troppo forte, e a un certo punto rimasi immobile. Conoscevo la storia di Maria Goretti e di Antonia Mesina e non volevo finire come loro, non sono mai stata coraggiosa io, e non sarò mai una santa. Rinunciai a difendermi, chiusi gli occhi, abbassai le braccia e lo lasciai fare. Ero confusa, disorientata, persa. Ero dolorante. Ero morta* dentro. Avevo la gonna tutta rovinata e sporca di terra, gli occhi gonfi di pianto. Non era quello che avrei voluto. Non così. Piangevo, piangevo e mi sforzavo di asciugarmi le lacrime con le mani, le asciugavo e speravo di cancellarle, di cancellare tutto, ma continuavo a piangere e non riuscivo a trovare pace, non potevo tornare più indietro. Ero sua ormai. Cercavo di consolarmi pensando che avrei comunque potuto essere una brava moglie, una brava madre. Madre lo sarei diventata a breve, lo scoprii un mese dopo, e questa era la cosa più importante. Più importante delle urla che mio padre non mi risparmiò, delle lacrime che mia madre sicuramente versò non vista e in silenzio nella sua stanza, più importante dello sguardo stranito di Maria, alla quale per prima confidai della gravidanza. Mia sorella mi chiese subito di lui, di cosa aveva intenzione di fare lui. Non sembrava preoccupata per me, per quella reputazione che avevo macchiato, non era stupita del fatto che avessi violato un comandamento dettato dal Signore, il suo primo pensiero fu per lui.

Non fu facile trovare le parole da dire a mio padre. Non si era accorto di niente. Lui non si accorgeva mai di niente. La mattina Maria mi aiutava quando avevo la bocca amara come il fiele e non riuscivo ad apparecchiare, o anche solo a ripulire i tegami incrostati. Poi non potei più tenere il segreto. Fu difficile. Le urla, i piatti rotti, la porta sbattuta con forza, perché nessun altro potesse ascoltare. Ma io mi sentivo forte. Non potevo tornare indietro, quella creatura sarebbe stata la mia salvezza, con lei dentro di me non potevano farmi nulla, nulla che mi facesse rinunciare a lei. Lo guardavo dritto negli occhi mio padre, pregando la Madonna di darmi la forza. Cercavo di cacciare indietro le lacrime mentre urlava e mi insultava, io che di parole così brutte non ne avevo mai dette e neanche sentite, né verso di me né verso nessuna bestia da soma che non volesse sottostare al padrone. Quanta furia quella notte di luglio. Quanto silenzio intorno a me il mattino dopo. Le cose non sarebbero state più le stesse, ma come sarebbero state non lo sapevamo ancora. Nessuna decisione venne presa quella notte, e neanche il giorno dopo. Al terzo giorno si parlò di matrimonio. Convincerlo non doveva essere stato facile. Ma qualcuno evidentemente era stato più persuasivo di me, che al suo primo rifiuto avevo ingoiato le lacrime un'altra volta e rinunciato.

Lui avrebbe continuato a girare, a vendere pentole e stoviglie di rame nei paesi vicini, come già faceva, ma la sera sarebbe tornato a casa da me, a casa di mio padre. Avremmo messo a tacere le dicerie della gente sposandoci subito, prima che nascesse il bambino. E così fu.

Ti starai chiedendo perché ti racconto questo, ragazza mia. Perché mai una vecchia di più di ottant'anni scrive a una giovane che non la conosce e le racconta, da una terra così tanto lontana, una storia ancor più lontana? Io non sono mai stata a Milano.

La quotidianità caotica del continente mi è totalmente sconosciuta. Tu non sei mai stata a Ísili. Eppure c'è qualcosa che ci lega, qualcosa di molto profondo. La mia storia è la tua storia. La tua storia è la mia storia. Dove finisce la mia vita di madre e moglie è iniziata quella di tua madre, la tua e, ancor prima, quella di tua nonna.

Sono passati tanti anni ormai. Qualcuno forse qui in paese ha dimenticato le cose che ti sto raccontando. I più giovani non hanno visto la bicicletta grigia di mio padre che tutti i giorni andava alla colonia penale, ma tutti hanno incontrato almeno una volta la vecchia perpetua che attraversava il paese, all'alba, tutte le mattine, per andare in parrocchia, senza domandarsi chi fosse o da dove venisse. Ero io quella donna vestita sempre di nero: Evelina Piga, vedova Lorrài. Da qualche mese a questa parte la mattina non esco più, non ce la faccio più ad andare in parrocchia a dare una mano. Il nuovo parroco ha chiesto a una ragazza di Gergei, che fa la cuoca e accompagna ogni giorno la figlia a scuola qui a Ísili, di aiutarlo. Anche la messa la ascolto solo alla radio, e a portarmi la comunione, il mercoledì, viene qui da me il diacono. Sono sola in questa grande casa, ragazza mia. Non faccio più neanche le scale per salire alle camere da letto. Adesso non sono più occupate. Il parroco mi aveva mandato una maestra che veniva da Nùoro, dopo che erano morti i miei genitori, da allora ho sempre affittato le due camere a giovani insegnanti che arrivavano da *fuori. Ma adesso ho deciso di lasciarle vuote, non ho più le forze. I soldi non mi mancano, tanto quelli non mi sono mai mancati.*

Molte volte mi addormento su questa poltrona che ha quasi i miei anni e guardo da quella stessa finestra in cui Maria rivolgeva furtiva lo sguardo al suono dello stridere del fermo del cavallo. Ma non è del mio presente che voglio parlarti, quello vorrei che venissi a vederlo coi tuoi occhi. È per questo che ti sto scrivendo, ragazza mia. Una lettera, per quanto lunga come questa sembra ormai destinata a diventare, non può essere totalmente esaustiva, e tu avrai sicuramente tante domande da farmi. In tutti questi anni ho cercato di aiutarti come ho potuto, da qui, da chilometri di distanza, con i mezzi che avevo, e che non erano miei. Ho ereditato tutti i soldi di mio marito quando anche il padre è venuto a mancare, insieme al figlio, sparati entrambi sul lago Mulargia. Le sorelle di Antonio hanno venduto le terre e sono venute a cercarmi per darmeli. Io non li ho mai usati quei soldi. Li ho tenuti da parte, fino a quando non ho avuto il coraggio di cercare tua madre e i tuoi zii, che però ormai erano già morti. So che lei non te l'ha mai raccontato. So che non ti ha mai detto niente di me, di tua nonna, di Antonio. Conosco la sofferenza che ti ha nascosto, la sofferenza che ha voluto dimenticare tenendola nascosta a tutti, anche a te. Perché anche io l'ho vissuta, da sorella, da madre, da sposa. Non mi hanno mai chiamato Evelina Lorrài. E io, sposa, lo sono stata per poco. Neanche il tempo di diventare madre. Una donna le capisce certe cose. Ha molti modi per conoscere il proprio marito. Lui, d'altronde, non ha mai fatto molto per non dare a intendere il proprio interesse. Di lei capivo quasi tutto. Non solo perché avevamo condiviso fraternamente sedici anni della nostra vita, ma perché i suoi rossori erano i miei di qualche mese prima. L'imbarazzo con cui abbassava lo sguardo in presenza di altri, la frenesia con cui batteva i pedali del telaio, tutto lasciava trasparire inquietudine. Attribuivo alla giovane età i suoi turbamenti, in fondo mai nessun altro uomo era entrato in casa nostra, oltre a nostro padre. Ma non credevo sarebbero arrivati a tanto. Avevamo condiviso i banchi della chiesa fianco a fianco, ogni santa domenica, e le parole di padre Virdis riecheggiavano nelle mie orecchie come nelle sue. «Non desiderare la donna d'altri.» Non speravo che parlasse alla coscienza di mio marito. Ma alla sua, a quella di mia sorella, sì. Speravo bastasse questo a frenarla. Non l'amore fraterno nei miei confronti, ma il timore delle fiamme eterne, di quel fuoco infinito che consuma i corpi e non finisce mai, per rigenerarsi a ogni sguardo, a ogni pensiero. Il vento però ha infiammato quel fuoco e l'ha portata via, lontano da me, dalla sua famiglia, ladra in casa sua.

La mia pancia cresceva, Maria preparava il corredino insieme a me quando non era al telaio. Anche questa coperta che ora porto sulle ginocchia l'ha fatta lei. Lavorava ai ferri solo per me, tutto il tempo lo pas-

sava a tessere. Per lui. Io osservavo e tacevo. La sera non dormivamo più nella stessa stanza e non ci scambiavamo più le confidenze facendoci le trecce prima di andare a dormire. Altrimenti forse avrei capito quanto era forte quel vento, quanto era forte la sua passione, quanto era forte e coraggiosa la mia piccola sorella, che era pronta ad andarsene via dal suo paese, dalla sua casa, ad abbandonare tutto e tutti. Una notte sono scappati e non hanno più fatto ritorno. Neanche per il seppellimento dei nostri genitori. Nostra madre si è data la morte il giorno stesso che Maria è scappata. O forse ha solo scelto di essere libera per sempre, come aveva deciso sua figlia. Incurante di noi, di me, che piangevo in cucina sul tavolo in formica, con zia Borìca che cercava di calmarmi per quella creatura che portavo in grembo, e di mio padre che era uscito di corsa sperando di andarsela a riprendere, quella figlia minorenne.

Quanto dolore, ragazza mia, in quei giorni. Piangevo per l'abbandono di un marito che mi lasciava senza alcun sostentamento, con una creatura a cui provvedere. Piangevo per il tradimento di una sorella che era stata per me confidente e amica, compagna in ogni momento che io ricordassi. Piangevo per mia madre, anima fragile, che non avrebbe raggiunto il paradiso in cui aveva smesso di credere. Zia Borìca si occupò del seppellimento di mamma e, dopo pochi mesi, anche di quello di babbo, morto di rabbia e di crepacuore. Maria non la volle vedere neanche in punto di morte. Chiamò l'avvocato e le mandò da firmare quel foglio in cui rinunciava alla casa da cui era fuggita.

Ma per me il dolore non era finito. Andavo a confessarmi ogni giorno in quelle settimane. Non sapevo come saremmo andati avanti, il mio bambino e io. Non avevo più un marito, mio padre era morto, e in quelle condizioni non potevo certo lavorare. Ma per la mia creatura, per lei soltanto, andavo avanti. E chiedevo giustizia a Dio. Ogni giorno. Finché non mi piegai dal dolore. Fu un travaglio lungo e anticipato. All'ottavo mese iniziai a perdere molto sangue. Zia Borìca mandò a chiamare il medico condotto. Il bambino stava nascendo per i piedi. Zia Borìca non aveva mai fatto la manovra di rivolgimento, ma doveva intervenire prontamente per non rischiare di perdere la mia vita e quella del piccolo. La manovra riuscì. Ma non ci fu nessun vagito. Il piccolo era nato morto, avvolto nel suo cordone, viola. Era un bel bambino. Un maschietto. Sembrava un piccolo angelo che dormiva. Appena lo vidi fui pervasa da una dolcezza infinita. Non mi ero accorta che era morto, non subito. Nelle orecchie mi parve di sentire un suono dolce. Mi tornò in mente la voce di mia madre, di quando stava bene, la voce dolce di mia madre che diceva «Pietro». «Voglio chiamarlo Pietro» fu l'unica cosa che riuscii a dire. Poi zia Borìca iniziò ad avvolgerlo nel lenzuolino che avevamo preparato per la nascita e lo portò via. Fu allora che mi resi conto che era morto. E iniziai

a gridare, a urlare, a strapparmi i capelli, a morder-
mi forte le labbra e le mani, a singhiozzare distrutta,
devastata. Da quel giorno il mio sguardo si spense di
colpo. Andavo in chiesa all'alba, e solo lì trovavo un
po' di conforto, nella Bibbia o nei libri che mi dava
padre Virdis, nelle meditazioni sulla Parola che mi
suggeriva. È lì che ho passato tutti questi anni, cercando di capire perché tanto dolore fosse caduto tutto
sulle mie piccole spalle. Il Signore ha una missione
per ognuno di noi. E la mia, forse, non era quella di
essere madre, figlia o moglie. Era quella di aiutare
gli altri a esserlo, era custodire il dolore e raccontarlo
la mia missione, era quella di imparare il perdono,
forse. L'ho capito scrivendoti, lo capirò ancora meglio
magari dopo averti ascoltata.

La casa è quella vicina al belvedere, alla fine della
strada, quella che fa angolo sul vico stretto. Se non
la troverai tu, ti troverà lei. Io sarò qui ad aspettarti.

So che verrai. So che una parte di te è già qui.

Zia Evelina

Maria di Ísili

Mia madre è morta sei anni fa. Si chiamava Rosaria, Rosaria Desogus. È morta a Milano, a febbraio, nel suo appartamento. È morta da sola, di notte, quando io non c'ero. La lettera mi è arrivata pochi giorni dopo. L'ho trovata nella cassetta, insieme alla pubblicità del supermercato. C'era scritto il mio nome sulla busta. E il mio cognome. E c'era l'indirizzo di mia madre. Non c'era mittente, però. Le parole erano scritte a mano, in corsivo. Ed erano curve e nere, e con i boccoli, come quelle dell'abbecedario che mi aveva regalato proprio mamma prima di entrare a scuola. Anche a scuola c'erano quelle lettere, appese ai muri, ma non erano nere e avevano la frutta e la verdura colorata a fianco, come quella disegnata sul volantino del supermercato. «M» come mela, «M» come Maria. Aveva le porte di legno la mia scuola. Erano porte grigie. E anche le finestre erano grigie. E alte. Come i soffitti. Come questa casa che mi ricorda la mia scuola e la mia maestra che ci leggeva Marcovaldo. «M» come maestra, «M» come Marcovaldo. E «I» come inverno, come la città che sparisce sotto la neve e Marcovaldo che diventa un pupazzo tutto bianco perché la neve gli cade sopra e lui si mangia tutta la verdura che i bambini gli mettono per fargli il naso. «I» come Ísili, dove ho deciso di vivere dopo aver aperto quella lettera. E «I» come io, che quando è morta mia madre, in inverno, non c'ero, perché lavoravo di notte e lei di notte, mentre dormiva, se n'è andata. In silenzio. Come quando era viva.

Mia madre parlava poco. E non mi ha mai raccontato niente del suo passato, della sua famiglia. Parlava poco, quasi niente. E sorrideva. E piangeva. A volte sorrideva e piangeva insieme. Viveva in un tempo sospeso, mia madre. Sembrava che non avesse avuto un inizio, il suo tempo, e anche la fine te la immaginavi così: sospesa. Ma sorrideva, minuta e garbata, e piangeva. Piangeva quando dalla memoria le tornava indietro senza preavviso qualche ricordo che pensava di aver cancellato insieme a tutto il resto. Piangeva quando in cucina tagliava le verdure per preparare il minestrone. Piangeva, e all'improvviso il tempo sferico che si era costruita si spaccava in due insieme alle patate e alle carote. Raccontava sempre le stesse due cose, però: di quando era in collegio a Genoni e le avevano fatto fare il provino per lo Zecchino d'Oro ed era bravissima a ballare e le avevano regalato una bambola bionda di porcellana che assomigliava alla prima moglie di Napoleone, e di quando non aveva mai assaggiato una *ciungomma* e ne aveva desiderata una ma non aveva i soldi per comprarla ed era da sola e sua mamma non c'era e suo padre non lo conosceva e ha visto una gomma rosa appallottolata sulla strada, sputata da qualcuno che i soldi li aveva e forse anche la mamma e il papà, l'ha vista e si è guardata intorno e senza farsi notare l'ha raccolta e se l'è messa in bocca e ha iniziato a masticare. E quando lo raccontava piangeva perché non l'avrebbe rifatto. E credo fosse per quello che si era sempre preoccupata di me: perché almeno io non dovessi raccogliere da terra una gomma già masticata da altri. Mia mamma non mi ha mai raccontato nient'altro. Arrivata alla *ciungomma* il suo disco si interrompeva. E piangeva. E tutte le volte che provavo a chiederle qualcosa, a farle domande, diceva che non si ricordava. Come quella volta che la maestra ci aveva detto di intervistare i nostri genitori e di disegnare l'albero genealogico con le notizie sui nostri nonni e bisnonni. Mia mamma non mi aveva raccontato niente, mi aveva detto giusto i nomi dei suoi genitori: Maria, come me, mia nonna, ma Piga di cognome, e Sergio Desogus mio nonno. Nomi vuoti. Letterine con i boccoli ma senza figure. Come quelli dei personaggi secondari nelle storie del mio sussidiario, quelli che venivano solo citati ma di cui non si sapeva nulla, non si sapeva dove erano nati, se avevano pianto o avevano riso, se avevano vinto una guerra o se l'avevano persa, se erano principi o schiavi. «M» come Maria, mia nonna, e di fianco una pagina bianca. Avevo disegnato sul quaderno un alberello senza radici. Ma a scuola, prima che arrivasse la maestra, l'avevo un po' modificato, aggiungendo qualche radice e qualche nome qua e là, inventando qualche antenato illustre o quanto meno particolare. Mi piaceva inventare le storie. E mi piace anche adesso. Mi piace raccontarle alle mie figlie. Mi piace disegnarle e ricamarle sui miei quadri. Mi piace vederle addosso alle persone.

Credo che mia mamma, invece, si vergognasse della sua storia, della nostra storia, e che abbia cercato sino all'ultimo di rimuovere le cose che sapeva, le cose che ricordava. E quando piangeva, credo che fosse perché qualcosa riemergeva in superficie, come la neve che si scioglie d'inverno sull'acqua del mare, come un papà che a un certo punto sparisce, come la famiglia che avresti voluto, come una madre che non sai spiegarti perché ti rifiuti e non venga a riprenderti.

Ci provava mia mamma a sorridere, ma lo faceva sempre quando non avrebbe dovuto. E anche quello sembrava pianto. Come quando puliva angoli della casa che nessuno avrebbe mai pensato di pulire, come quando mi cambiava la maglietta non appena mi cadeva una goccia di ghiacciolo al limone, come quando fuori piove e il cielo è grigio e triste e le nuvole provano ad andarsene via ma ne arrivano sempre altre a coprire il sole.

E così a un certo punto della sua vita mia madre ha deciso di strappare tutte le prime pagine del suo quaderno buono a quadretti, di alleggerirlo un po', diciamo così, per eliminare gli errori che non aveva fatto lei, che si era ritrovata ingiustamente su quel quadernetto dove i conti non tornavano mai. Per ripartire dalla prima pagina, anche se non era davvero la prima. Ma questo l'ho capito solo dopo aver ricevuto la lettera di zia Evelina. Ho saputo che mia mamma a diciotto anni appena compiuti si è imbarcata per il continente con mio padre e non è più tornata. Mio padre invece sì: è tornato di nuovo su una nave, pochissimo tempo dopo, insieme a una ragazzina più sveglia di mia madre, che aveva un quadernone grosso e con i fogli azzurri, senza righe, che non strappava mai.

Mia madre si chiamava Rosaria, come la mia bisnonna. Anche questo me l'ha raccontato zia Evelina prima di morire. Anche la bisnonna parlava poco. Anzi, a un certo punto lei ha proprio smesso di parlare. Zia Evelina mi ha detto che era una donna molto bella, ma anche molto enigmatica. Lei se la ricordava sempre vestita di nero. Distante. Quasi di ghiaccio. Aveva qualche ricordo confuso di quando ancora parlava, ma per quanto si sforzasse non riusciva a descriverne la voce, le parole. Si ricordava bene invece di tutti gli anni passati a guardarla, quella madre senza voce, sempre vestita di nero. Sua sorella Maria era ancora molto piccola quando la mamma si era presa quel brutto esaurimento. A badare a loro, o almeno a provarci, era stata Salvatorica Carboni, la levatrice del paese, che aveva fatto nascere sia lei che nonna Maria. Zia Borìca, come la chiamavano loro, non aveva figli e neanche marito. Solo una sorella che però era rimasta a Cagliari. Lei si era trasferita a Ísili quando era giovane e aveva imparato presto a far nascere i bambini. Aveva imparato anche a fare tutto il resto, le colazioni con i dolci caldi, ad esempio, con il caffellatte e i *pistoccus*, i savoiardi sardi, quelli morbidi che piacevano tanto a zia Evelina, imbevuti nella tazzona ancora fumante.

Mia madre invece odiava fare colazione, odiava fare colazione all'autogrill quando era ancora viva e il fine settimana all'improvviso spariva per farsi una gita in qualche lago, a Como o a Lecco. Odiava fare colazione all'autogrill perché le chiedevano sempre se voleva aggiungere qualcosa: una pasta, una spremuta o un gratta e vinci in promozione. Lei invece avrebbe voluto toglierla qualcosa, dalla sua vita, ma non ci è mai riuscita: il primo marito che l'ha tradita con una più giovane e con le tette più grandi avrebbe voluto togliere, il secondo marito, che l'ha tradita anche lui e se n'è scappato una mattina con tutti i soldi che avevano nella cassettiera dell'armadio, e la madre che l'aveva abbandonata in collegio quando era piccola e non si era più rivista, la madre che era scappata con il marito di sua sorella e poi si era sposata con un altro uomo, e il padre anche avrebbe voluto togliere, quel padre che non si ricordava e che per lei era solo un nome senza significato e senza volto, e quell'altro padre, anche, quello di cui portava il cognome e che le aveva raccontato la favola della neve e del mare al Poetto, anche quel padre di cui si ricordava il volto oltre che il nome e che a un certo punto non ne aveva più voluto sapere di lei, anche quel padre prima bravo e poi cattivo avrebbe voluto togliere, insieme alla maestra che la derideva davanti alle compagne di classe perché non riusciva a leggere bene e confondeva le lettere, e alle suore che in collegio le pettinavano i capelli ricci con la spazzola e lei piangeva e loro la mettevano in punizione sui ceci e la lasciavano senza mangiare, e anche Genoni e Mandas e Cagliari e la Sardegna tutta, dove non era più tornata, avrebbe voluto togliere.

Prima di ricevere la lettera di zia Evelina, la Sardegna io l'avevo vista solo quando ero piccola e non mi ricordava niente di bello. La Sardegna per me era mio padre che mi costringeva ad andare da lui per le vacanze estive anche se io non volevo. La Sardegna per me era l'odore di urina e salsedine della Tirrenia, era il mare che mi faceva venire da vomitare quando la nave ondeggiava, era l'odore di benzina delle macchine. La Sardegna era agosto ed era caldo asfissiante, era quel bastardo di mio padre tutto intero in costume da bagno e ciabatte nella sua casa al mare, era il suo sorriso viscido e le ragazze che si portava in villetta che ogni anno erano diverse e sempre più giovani. Ma in Sardegna io c'ero anche nata, a Cagliari, al San Giovanni di Dio, una notte di fine luglio che fuori pioveva e dentro mia mamma sudava e urlava e un'ostetrica le diceva che doveva spingere e non piangere, e mio padre non c'era. Ci ero nata in Sardegna, ma prima di ricevere la lettera di zia Evelina avevo promesso che non ci sarei più tornata, mai più, e l'avrei anche cancellata dalla cartina geografica la Sardegna se fosse stato per me, con quella sua forma di sandalo in mezzo al mare e le spiagge lungo tutti i lati e i monti al centro. L'avrei cancellata con una di quelle gommine a forma di frutta che trovavo dentro le scatole di cartone del Mulino Bianco quando ero piccola e mamma apriva la busta delle merendine dopo che era tornata dal supermercato. E avrei cancellato anche mio padre, se avessi potuto, e le sue donnine, se non ci avessero pensato loro alla fine a cancellarlo e a dissanguarlo anche, come l'ultima ragazza che si è portato a casa, quella rumena col culo alto e le tette a punta che si era fatto arrivare direttamente via catalogo da Cluj e che si è pure sposato, prima di crepare d'infarto una notte mentre giocavano alla figlia del dottore, insieme alle tre civette sul comò e ad Ambarabà Ciccì e Coccò.

La cosa buona è che da quando mio padre è morto la Sardegna non mi spaventa più e non ho più paura che torni all'improvviso quella puzza di dopobarba e dei nuovi sedili in pelle della sua macchina, e non ho più paura neanche di ricominciare a balbettare e a farmela addosso come quando ad agosto lui veniva a prendermi per un mese e mi caricava come un pacco sulla sua Saab nera e io piangevo e urlavo e mia mamma mi diceva di stare buona che tanto un mese passava in fretta e dopo sarei tornata da lei, e io invece urlavo sempre più forte e mi facevo la pipì e la cacca nelle mutandine tutti i giorni, sui sedili in pelle di quella macchina nuova, e per un mese non riuscivo più a parlare e quando tornavo a casa non guardavo in faccia mia mamma per un paio di giorni e non riuscivo a dire le parole che sapevo dire prima. E tutti gli anni era così sino a quando ho compiuto sei anni e mio padre ha deciso che non voleva più farsi pisciare e cagare i sedili in pelle della sua macchina nuova e ha detto a mia madre di tenersela stretta quella figlia che non sapeva far altro che farsela addosso e balbettare. E allora io ho ripreso a parlare bene e mi sono anche laureata in Lettere, indirizzo artistico, e con il massimo dei voti.

***

Con zia Evelina abbiamo vissuto insieme per due anni in questa casa, io e lei, dopo che ho letto la sua lettera e ho deciso di venire a trovarla qui a Ísili. Quando sono arrivata non pensavo che non me ne sarei più andata via. Mi manca zia Evelina. Mi mancano le sere noi due da sole davanti al camino. Mi manca la sua voce che inizia a raccontare e non si ferma. Mi mancano le sue storie, le storie di mia nonna, le storie della nonna di mia mamma, le storie che si mischiano alle leggende, come quella di Friorosa, la figlia di Pepi Cocòi che viene trasformata in fonte, o quella della fata che diventa volpe per aiutare le donne di Ísili senza marito a partorire, dentro i nuraghi, dei figli guerrieri, o quella del gigante di Aiodda che si innamora della fata più piccola di tutte e va a trovarla ogni notte nella sua casa di pietra. Mi mancano le passeggiate che ci facevamo giù a Is Barrocus in autunno, a guardare il lago e la chiesetta di San Sebastiano, lei lenta con il suo bastone e io lenta con i miei occhi a perdermi guardandola e ascoltandola.

È stata zia Evelina a dirmi che avevo lo stesso sguardo di mio nonno Antonio, i suoi stessi occhi neri e profondi. È stata lei a farmi leggere le lettere di mia nonna, quelle a cui non aveva mai risposto, e a raccontarmi di quelle che lei mandava a mia madre, insieme ai soldi, quando mio padre ha smesso di farlo. Prima di morire mi ha detto anche che le ricordavo la sorella, e non solo perché mi chiamavo Maria anch'io. Mi ha detto che avevamo la stessa forza, la stessa determinazione, lo stesso modo di guardare le cose sognando.

Se non mi fosse arrivata quella lettera, in Sardegna non ci sarei tornata. E forse non sarei neanche andata in giro a riesumare i morti e a parlare con persone che non conoscevo, a imparare lingue e dialetti che non sapevo nemmeno che esistessero. Forse me ne sarei rimasta a Milano e avrei continuato a lavorare in quella sartoria industriale. Forse non mi sarei neanche sposata.

Invece l'ho aperta quella lettera e l'ho letta, e mentre la leggevo mi sembrava di essere Alice e di attraversare lo specchio, e scoprivo un mondo che era sempre esistito ma che io non avevo mai visto, sentivo pronunciare nomi nuovi, vedevo persone e paesi, ascoltavo suoni e storie che parlavano anche di me.

Era un venerdì mattina quando la corriera mi ha lasciata all'ingresso del paese. Era la prima volta che vedevo Ísili. C'era un odore di pesce arrosto che arrivava dalle bancarelle del mercato e fumo scuro che un vento leggero portava su e giù per le strade più interne e che mi pizzicava gli occhi. Trovare la casa non è stato difficile: *vicina al belvedere, alla fine della strada, quella che fa angolo sul vico stretto*, così c'era scritto nella lettera. Me la sono trovata davanti. Ed era come l'avevo sempre immaginata, come la disegnavo a scuola quando mi chiedevano di disegnare la casa in cui abitavo: un rettangolo rosa, con un tetto spiovente di tegole rosse e triangolare, incorniciato dal cielo, e un portone in legno alto il doppio di me e largo, largo e grigio. Regolare nella disposizione delle finestre al piano terra: due per parte a incorniciare la porta. Tendine bianche, con ricami di frutta tono su tono. Nessun vaso sul davanzale, gli scurini chiusi ai piani superiori e fumo nero dal camino. Sono rimasta dritta in piedi a fissarla per qualche minuto. Poi il cigolio della portafinestra del balcone e una donna tutta vestita di nero che si affaccia caricando un pesante tappeto sulla balaustra in ferro. L'ho guardata, mi ha guardata. Prima ancora che potesse chiedermi di spostarmi, ho fatto un passo verso il portone e ho suonato. A quel punto l'ho vista osservarmi dubbiosa e scendere le scale con calma. Ha aperto la porta, le ho detto il mio nome. Un nome che parla: Maria. Mi ha dato un bacio e mi ha fatto entrare, scrutando i miei di occhi, ritrovando qualcosa che aveva perso, credo. Sono stata io a parlare per prima. Ho balbettato qualche parola di scusa per l'orario della visita e l'inesistente preavviso. Mi ha fatto accomodare nel salotto di pelle amaranto, coi centrini écru sullo schienale e i braccioli, che ho evitato di toccare. E sono rimasta ferma, seduta con la schiena dritta e le braccia conserte, come quando all'asilo mi avevano messa in punizione perché un bambino aveva lanciato la bietola dal mio piatto verso la statua della Madonna e la maestra non l'aveva visto e aveva sgridato me e non mi aveva dato il pezzo di torta alla fine del pranzo. «Ti aspettavo» mi ha detto, mentre un sospiro rapido le si apriva negli occhi. "Ti aspettavo anch'io" ho pensato. Poi si è alzata ed è salita al piano di sopra. È tornata poco dopo con un pezzo di stoffa in mano e si è riseduta con le spalle rivolte al camino acceso e caldo e pieno di statuine di sante e immagini di martiri sopra. Ho sollevato gli occhi e le ho guardato il viso, e solo allora mi sono accorta che un piccolo batuffolo di cotone le era rimasto intrappolato in un orecchino e che aveva gli occhi lucidi e rossi. Mi ha dato il pezzo di stoffa: era tutto un gioco di fili e di colori e di forme. Non avevo mai visto il rame intrecciarsi alla lana e diventare castello sopra cavalli neri e sopra alberi alti e verdi, diventare corona sopra teste bianche di principi e principesse con abiti ampi e scintillanti, e trasformarsi in fuoco vivo di drago e piuma accesa di fenice. Ho rialzato lo sguardo e mi sono persa un po', poi ho ritrovato quella minuscola nuvoletta di cotone imprigionata dentro oro che non luccicava più e i suoi capelli grigi e raccolti in una crocchia e il suo vestito nero e sbiadito e le sue mani e le sue vene viola che le percorrevano in lungo e un anello, anche lui d'oro e opaco, che le avvolgeva l'anulare. Sono rimasta zitta e immobile e ho ascoltato la sua voce che mi ricordava quella di mia mamma e ho guardato le sue braccia muoversi e sono tornata bambina e mi sembrava di averlo già vissuto quell'attimo ed era come se riuscissi a prevedere quelli successivi di attimi, ma senza poterli fermare o cambiare. Subito dopo mi ha fatto vedere il telaio di nonna Maria, sotto un lenzuolo pieno di polvere, nel sottoscala. Le ho detto che a me piaceva disegnare e che a Milano lavoravo in una sartoria industriale, le ho detto che avevo paura del buio quando avevo il turno di notte e dovevo passare in mezzo a quella fila lunghissima di manichini senza vestiti, le ho detto che adoravo rimanere a guardare i modellini e che nessuno riusciva a cucire le maniche come me, le ho detto di mia madre che non parlava mai di sua madre, le ho detto del nostro piccolo appartamento alla periferia di Milano, della mia laurea che non è servita a niente ma che mi ha resa felice, e di mio padre, pace all'anima sua, e della mia prima cotta per quel ragazzo che si chiamava Paolo, le ho detto, e che quando lo guardavo non si accorgeva neanche di me e continuava a leggere «il manifesto» seduto sul muretto della scuola o a urlare dentro il megafono durante le assemblee mentre io continuavo a fissarlo e gli avrei voluto chiedere se usciva con me a mangiare un gelato e se dopo veniva al cinema a vedere quel film di David Lynch dove un vecchietto si fa un mucchio di chilometri su un tagliaerba per andare a trovare il fratello malato che sta nel Wisconsin e che non vede da un sacco di tempo. Le ho detto anche che la Sardegna non me la ricordavo così bella. Zia Evelina mi ha chiesto se volevo restare con lei. Ho risposto di sì.

E così eccomi qui, a Ísili, in questa casa grande, con questo giardino che in primavera si riempie di fiori di cui sto pian piano imparando i nomi e queste porte di legno grigio e le finestre e i soffitti altissimi.

Zia Evelina è morta. Io mi sono sposata e ho avuto due figlie. La più piccola l'ho chiamata Evelina, come lei, come la sorella di mia nonna. L'altra invece si chiama Rosaria, come mia madre, e come la mia bisnonna. Volevo che i nomi parlassero, ricordassero, volevo che le mie figlie avessero un albero con le radici, anche se storte, ma volevo che lo avessero, loro, questo benedetto albero, queste benedette radici, e che lo sapessero disegnare, senza doverselo inventare come avevo fatto io, e che potessero mostrarlo alle loro di figlie e alle figlie delle loro figlie. Anche se mia madre mi ha sempre detto che le radici le hanno gli alberi e non le persone, e che è per questo che gli alberi stanno fermi mentre le persone si muovono, e ci sarà stato pure un buon motivo, mi diceva, per cui le donne e gli uomini hanno i piedi e camminano e non hanno bisogno di rimanere piantati per terra per crescere. Io invece ho sempre avuto questa fissa delle radici, ho sempre pensato che le abbiamo anche noi, anche se in modo diverso, e che le radici camminano pur non avendo i piedi, e che più riescono a scendere in profondità più fanno diventare forti i loro rami, e più diventano forti i loro rami più diventano splendide le loro gemme. E a me le gemme, le gemme degli alberi, sono sempre piaciute, come il filo di rame che si infila nella cruna dell'ago, come l'ago che riesce dalla tela di un quadro dopo essere entrato, come il ginestrino che cresce spontaneo in un vaso senza che neanche lo vedi e che poi fa i fiori gialli su una chioma smeraldo, come le poesie di Wisława Szymborska sul dorso celeste delle vecchie edizioni Scheiwiller.

Mio marito l'ho conosciuto a Cagliari, durante la presentazione di una delle mie prime collezioni, alla cittadella dei musei. È stato un colpo di fulmine, come si suol dire. Prima io non ci credevo ai colpi di fulmine. Prima di incontrarlo, intendo. Ma con lui è andata così. Mi sono innamorata e basta. Senza pensarci. Mi sono innamorata della sua leggerezza, forse. Per lui è stato lo stesso. Si è innamorato del mio quadro coi papaveri viola, quello dove la lana e il rame squarciano la tela e i papaveri diventano mani e sorriso di donna, si è innamorato di quel quadro ed è rimasto tutta la sera a guardarlo, poi l'ho invitato a cena. Poco dopo si è trasferito qui a

Ísili. Era tenente alla base di San Lorenzo, ma non ce la faceva più a dare e ricevere ordini. Voleva fare qualcosa per dimostrare a se stesso e agli altri che in Sardegna è ancora possibile vivere e credere in un futuro migliore, partendo dalle cose più semplici, dai campi sterminati che nessuno vuole più coltivare. Ha iniziato piantando palline di argilla con dentro le ghiande per far crescere gli alberi dove non c'erano più, negli angoli più nascosti dell'isola. Poi, un giorno, ha deciso di dare le dimissioni e con i soldi della liquidazione abbiamo comprato un bel pezzo di terreno nelle campagne qui vicino. Abbiamo messo su una serie di orti sinergici. «Un'astronave sulla luna», come la chiama mio marito, che a volte mi ricorda un po' il mio Marcovaldo delle elementari ma anche Italo Calvino, quando dentro i suoi pullover colorati si sposta da un campo all'altro con quella sua andatura dinoccolata e lo sguardo sognante. A lui piace stare all'aria aperta, gli piacciono le piante, e mi aiuta a impararne i nomi, anche di quelle selvatiche. A me piace dipingerle, le piante, mi piace cucirle e intrecciarle sulla tela dei miei quadri, trasformarle in persone. Riconosco il corbezzolo adesso, anche quando non ci sono i frutti, e so quando il rosmarino fiorisce e dove è più bello, so distinguere il cisto e ho imparato anche il nome di molti animali che non conoscevo. Una volta ho persino visto volare l'aquila fasciata, l'aquila del Bonelli, quella che amava la mia bisnonna Rosaria.

Quando abbiamo ristrutturato la casa, ho trovato tutte le sue lettere, quelle della madre di mia nonna, Rosaria Granata. Zia Evelina non sapeva neanche di averle conservate. Erano dentro un vecchio armadio in castagno, cucite nella parte interna di alcune gonne nere che stavano ancora piegate nel cassettone di sotto. L'armadio era nel sottoscala, sotto un lenzuolo celeste, vicino al telaio di mia nonna Maria e a una cassapanca piena di stoffe e di quaderni vecchi ma con tutte le pagine ancora vuote. Adesso è in camera nostra: è un bell'armadio a due ante, in legno massello, l'ho fatto restaurare dal falegname più bravo del paese. Anche la culla ho fatto sistemare, una culla in ciliegio, tutta bianca e con il baldacchino, che zia Evelina aveva fatto fare per il figlio che aspettava da Antonio Lorrài. Ci hanno dormito tutt'e due le mie figlie in quella culla.

Con mio marito la sera ci divertiamo a riempire insieme le pagine di questi quaderni vecchi che abbiamo trovato nella cassapanca, a riempirle con le storie che mi ha raccontato zia Evelina, con le nostre foto a colori, con quelle color seppia di mia mamma e quelle in bianco e nero di mia nonna e della mia bisnonna, e con i loro disegni, e con quelli miei e delle nostre figlie.

Il vento c'è sempre qui a Ísili, anche adesso che è autunno inoltrato e le melagrane in giardino sono dolci e mature. Ma è vento senza tempesta, questo. È vento che racconta fiabe soffiando piano di notte, e che tramanda le storie alla luce, anche se lieve, della luna e delle stelle, e che semina avena selvatica e querce e papaveri viola su roccia calcarea.

Ringraziamenti

Ai folli e visionari rabdomanti del Premio Calvino, perché senza di loro queste pagine non avrebbero mai visto la luce.

A Francesca, per gli infiniti motivi che si chiamano amore.

A Leo, che è arrivato inatteso e bello, proprio come Maria.

A Emilia e Matilde, perché ci raccontano storie ogni giorno e renderanno il mondo migliore.

A Sofia, che fa parte della nostra famiglia e sarà una donna forte e gentile.

A mia nonna, che l'aveva previsto, e a chi, insieme a lei, mi dettava parole dall'alto, quei giorni, aggiungendosi al coro.

A mia madre e a mio padre, perché c'erano prima e ci saranno per sempre.

A tutte le persone, tante, che mi hanno insegnato e mi insegneranno qualcosa: a maestro Boi per la forza e il coraggio; a Giovanna Sias per le prime letture voraci; a Donatella Lissia e alle poesie che spesso ritornano a galla; a Mario Gennarelli e a Paola Pisano perché è grazie a loro che continuiamo a inseguire conoscenza e virtù; a Silvia Buzzetti, alla filologia e all'arte dell'accoglienza.

A Torino e a Francesco, per averci ospitato in quei tiepidi giorni di sole.

A Manu, che è un'amica geniale e c'è in ogni momento.

A Perdasdefogu, dove torno quando cerco un rifugio.

A Sassari, che mi ha accolto proprio mentre scrivevo.

A Cagliari, che è casa mia, e non chiedo di più.

A Ísili, perché un giorno mi ha rapito e incantato col suo volto sublime.

Al museo Maratè, dove all'improvviso ho cominciato a sognare di Antonio e Maria.

A Dolores Ghiani, che il rame e la lana li intreccia davvero e che compone poesie anche senza parole.

Al maestro Giuseppe Mura, che ha conservato la memoria e la «voce del rame» con cura e passione.

Ad Alec Cani, per quella foto che non scorderò.

Alla mia «fata madrina», Michela Murgia, che non lo sapeva ma c'era quando tutto è iniziato e che c'era anche il giorno in cui tutto è diventato magia.

A Fabio Stassi, che è stato per me, in quel giorno di maggio, un'improvvisa carezza.

A Benedetta Centovalli, «mamma con la valigia», perché ci ha creduto per prima.

Ad Antonio Franchini, al fato e alla sua voce cortese.

A Daniele Pinna, ai pesci palla e al destino che comunque si compie.

A chi mi ha mandato una mail il 25 novembre di tre anni fa, perché se non fosse arrivata, adesso non esisterebbe Maria.

A Adele Iannone e ai nostri brevi e piacevoli giri di giostra.

A Veronica Galletta, la mia amica scrittrice che stupirà tutti quanti, e alle nostre follie. («Lui» sa perché).

Al mio gemello bello, Valerio Callieri, e alle nostre giacche dello stesso colore.

A Re, che mi insegnerà la mia lingua, e alle sue ghiande che diventano alberi.

A Gigliola Sulis, perché un giorno di fine gennaio ha accettato una strana richiesta e mi ha regalato non solo il suo tempo.

Alla 131, dove parole e musiche si sono mischiate.

A chi ha scritto i libri che ho amato e a chi continuerà a scriverli.

A Gigi Riva, infine, perché c'entra sempre e perché prima o poi mi piacerebbe che tornasse davvero...

Indice

SCRITTORI GIUNTI

1. Ermanno Rea, *La comunista*
2. Rosa Matteucci, *Le donne perdonano tutto tranne il silenzio*
3. Simona Baldelli, *Evelina e le fate*
4. Marco Archetti, *Sette diavoli*
5. Valerio Evangelisti, *Day Hospital*
6. Laura Pariani, *Il piatto dell'angelo*
7. Flavio Pagano, *Perdutamente*
8. Massimiliano Governi, *Come vivevano i felici*
9. Diego Agostini, *La fabbrica dei cattivi*
10. Marco Magini, *Come fossi solo*
11. Simona Baldelli, *Il tempo bambino*
12. Simonetta Agnello Hornby, *La mia Londra*
13. Walter Fontana, *Splendido visto da qui*
14. Domitilla Melloni, *Forte e sottile è il mio canto. Storia di una donna obesa*
15. Grazia Verasani, *Mare d'inverno*
16. Simonetta Agnello Hornby, *Il pranzo di Mosè*
17. Paolo Maurensig, *Amori miei e altri animali*
18. Clara Sereni, *Via Ripetta 155*
19. Carmen Pellegrino, *Cade la terra*
20. Pier Franco Brandimarte, *L'Amalassunta*
21. Flavio Pagano, *Senza paura*
22. Paola Capriolo, *Mi ricordo*
23. Claudio Calzana, *Lux*